KB077200

농산물의 특성을 이용한
김영옥의 제과제빵학2

농산물의 특성을 이용한 김영옥의 제과제빵학2

발　행 | 2024년 3월 12일
저　자 | 김영옥
펴낸이 | 한건희
펴낸곳 | 주식회사 부크크
출판사등록 | 2014.07.15.(제2014-16호)
주　소 | 서울특별시 금천구 가산디지털1로 119 SK트윈타워 A동 305호
전　화 | 1670-8316
이메일 | info@bookk.co.kr

ISBN | 979-11-410-7620-7
www.bookk.co.kr
ⓒ 김영옥의 제과제빵학2
본 책은 저작자의 지적 재산으로서 무단 전재와 복제를 금합니다.

농산물의 특성을 이용한
김영옥의 제과제빵학2

김영옥 지음

목차

머리말

안녕하세요! 제과기능장 김영옥입니다.

농산물을 활용한 제과제빵 연구자료를 통해 일반사람들도 쉽게 접할 수 있는 정보를 집약하여 제작한 이 책에 대해 소개하고자 합니다. 이 책은 농산물을 활용하여 다양한 제과제빵을 만들고자 하는 분들을 위해 귀중한 자료로 구성되었습니다.

이 책은 전문적인 지식을 갖추지 않은 일반사람들도 어려운 용어와 설명들이 표기되어 있지만 결과적으로는 농산물과 제과제빵의 특성을 알 수 있도록 구성되었습니다. 농산물을 활용한 제과제빵의 기본 개념부터 시작하여, 독자들이 농산물의 중요성과 가치를 더욱 깊게 이해할 수 있도록 하였습니다.

농산물을 구매하고 보관하는 팁과 재료의 특성을 이해하는 방법에 대해서도 자세히 다루어, 독자들이 더욱 효과적으로 농산물을 활용할 수 있도록 도움을 드리고자 다양한 참고문헌과 연구자료의 인용을 통해 제과제빵에 대한 지식과 노하우를 습득하고, 일상에서 쉽게 적용하여 다양한 맛과 풍미를 누릴 수 있는 기회가 되길 바랍니다. 많은 분들이 이 책을 통해 더욱 창의적이고 맛있는 농산물 제과제빵을 경험하시어 제과제빵산업에 조금이나마 기여하고자 편찬하였습니다.

감사합니다!

토란의 특성 및 관능 최적화

토란은 열대 아시아 원산이며 채소로 널리 재배하고 있다. 알줄기로 번식하며 약간 습한 곳에서 잘 자란다. 알줄기는 타원형이며 겉은 섬유로 덮이고 옆에 작은 알줄기가 달린다. 잎은 뿌리에서 나오고 높이 약 1m이다. 긴 잎자루가 있으며 달걀 모양 넓은 타원형이다.

잎몸은 길이 30~50cm, 나비 25~30cm이고 겉면에 작은 돌기가 있다. 양면에 털이 없고 가장자리가 물결 모양으로 밋 밋하다. 잎몸 밑부분은 밑으로 처진다. 드물게 잎자루 사이 에서 1~4개의 꽃줄기가 나오는데, 8~9월에 막대 모양의 꽃이삭 위쪽에 수꽃, 아래쪽에 암꽃이 달린다. 꽃을 싸는 불염포는 길이 25~30cm, 나비 약 6cm로서 곧추서며 수술은 6개이다.

땅속부분의 알줄기를 식용한다. 모구(母球)·자구(子球)·손구(孫球)가 생기는데, 모구는 떫은맛이 강하여 먹지 못하는 것도 있다. 잎자루가 건조하면 어떤 품종이든 먹을 수 있으나 생줄기의 경우는 대부분 떫은맛이 강하다. 고온성 식물로서 중부이북지방에서는 재배하기 어렵다. 재배는 비교적 쉬우며 봄에

종구(種球)를 심는다. 건조에 매우 약하므로 가물 때에는 물을 주고 이랑면에 짚을 깔아주거나 풀을 덮어준다. 병충해는 매우 적다. 한국·인도·인도네시아 등에 분포한다.

토란(Colocasia esculenta)은 토지, 토련, 우자 등으로도 불리는 천남성과의 다년생 초본으로 Araceae과에 속하며 전세계적으로 100여속, 1500여 품종이 분포하고 있다. 열대와 온대 지방에서 재배되고 지대 가습한곳에서 잘 자라며, 특히 태평양 연안 지역과 아프리카에서는 매우 유용한 식용작물로 여겨지고 있다.

태평양의 섬에서는 굽거나 삶아 먹거나 발효시켜 포이(Poi)의 형태로 섭취하기도 한다(Allen ON와 AllenEK1933). 토란은 관절염의 치료요법으로 사용되어왔으며, 장과 위를 보호하며, 골중의 숙혈을 없애는 효능이 있다고 알려져 있다. 또한 식이섬유가 풍부해 변비를 예방 해주는 완화효과가 있으며, 양질의 단백질과 비타민C, 리보플라빈, 나이아신, 그리고 필수아미노산을 풍부하게 함유하고 있다(Kim EK등 1995,OnayemiO와NwigweNC 1987).

토란에 존재하는 페놀 화합물,카로티노이드, 비타민C, 그리고멜라토닌은 높은 항산화 활성을갖는 것으로 알려져있다. 풍부한 영양물질의 존재에도 불구하고 생토란에는 옥살산염등의 영양저해 성분이 함유되어 있으며, 이는독성을 유발하며 칼슘 흡수를 방해하고 신장 결석의 원인이 될 수 있다고 알려져 있다.

특히Calcium oxalate의 침상 결정구조는 피부에 침투하여 아린 맛을 나타낼 뿐만 아니라 입술이나 목 등을 붓게 할 수 있어 제거한 후 섭취하여야한다(Bradbury JH와NixonRW 1998).

옥살산중수용성 옥살산은 끓이기나 삶기 등 조리수를 이용한 조리 과정을 통해 감소될 수 있다고 보고되어 있으므로, 토란을 섭취하기 전에 이를 감소시키기 위한 조리 과정이 필요하다.

또한 토란은 높은 수분 함량과 갈변 현상 등으로 인해 품질이 쉽게 저하되며, 상품화를 위해서는 건조와 분말화 등을 거쳐야한다(Moon JH등 2011). 따라서 영양 저해 성분 함량을 감소시키고 품질을 유지하기 위한 가공 방법에 대한 연구가 필요한 실정이다.

흑마늘과 흑삼은 고온 숙성과 증숙 등의 과정을 통해 제조하며, 열처리를 거치면서 기존의마늘과 수삼에들어 있던생리활성 성분은 유지되고, 갈변 물질 등의 유용 물질이 새롭게 생성되어 기능성이 높아진다(Shin JH 등 2008,Kim HJ등 2011). 또한 이러한 가공 과정은 관능적인 특성을 변화시켜 섭취를 용이하게 하며, 마늘숙성 시 효소활성 저하로매운 맛 성분인 allicin이 감소하고, 우엉은 증숙함에 따라 일정횟수까지 단맛이 증가하고 쓴맛이 감소한다고 보고된바있다(Jang EK등2008,Lee GY등 2015).
최근다양한뿌리 식물에 이러한 가공 방법이 적용되어 흑마와 흑생강등의 제조 공정에 관한 연구가 이루어졌으나 (Kim SH 2014,

Ban YJ등 2010), 토란을 이용한 연구는 선행되지 않은것으로 확인되었다. 토란에 대한 기존의 연구는 주로 분말의 전분 특성에 관한 것이 대부분이며, 토란의 가공 조건을 달리하여 변화하는 성분을 분석하거나 관능적 특성을 알아본 연구는 미비한 실정이다.

따라서 본 연구에서는 국내산 토란을 증자, 숙성, 및 건조시키는 과정을 통해 흑토란을 개발하고, 숙성 조건에 따른토란의 이화학적 특성을 비교분석하며, 흑토란의 식품 재료화 가능성 탐색의 일환으로 반응표면분석법을 이용한 흑토란차의 관능적 최적 숙성 조건을 알아내는 연구문헌을 통해 알아보자.

◉실험 재료 및 전처리

1. 실험재료

전라남도곡성에서 수확한 진공포장한 깐토란을 구입하여 시료로 사용하였다고 한다.

2. 흑토란 가공 조건

흑토란 제조를 위한 토란의 가공은 다음과 같은 순서로 진행하였다. 먼저 깐토란을 수세하여 지름1-2cm,두께1cm 정도의 크기로 세절 하였다. 이를 찜통(KitchenArt,Korea)에서 1시간 증자한 후, 내열성밀폐 용기에 넣어(21261, Daiso,Korea)각각85, 90, 95℃의 항온 수조(BS-21,Jeiotech,Korea)에서 20, 40, 60시간 동안 숙성시켰다. 이때, 50mL의 물을 넣은 용기를 함께 넣어 일정한 수분 활성도를 유지하였다. 숙성이 완료된 토란은 열풍건조기(LD-918BH,L'equip,Korea)를 이용하여 60℃에서 24시간 건조하였다. 분쇄기(HR-2860, Philips,Korea)를 이용하여 500μm 이하로 분쇄한 시료를 동결 건조 후-80℃에 보관하며 실험에 사용하였다.

3. 실험 방법

- 이화학적 특성 분석

수분 함량은 105℃ 상압가열건조법을 사용하여 구하였다. 생토란, 증자 토란 및 흑토란 1g을 항량된 칭량접시에 넣은 후 105℃ dryoven(DaihanScientific,Korea)에넣어 건조시켰다. 이를 일정 시간 방냉 후 무게를 측정하는 과정을 반복하여 항량이 되면 아래의 식을 이용하여 수분을 정량하였다.

수분 (%) = (W1-W2)/(W1-W0)×100
W0:칭량접시의 무게 (g)
W1: 시료와칭량접시의 무게 (g)
W2: 건조 후 시료와칭량접시의 무게 (g)

- 조단백 정량

조단백 함량은 micro-Kjeldahl 질소정량법(AOAC, 1990)을 이용하여 측정하였다. 먼저 분해과정을 위해 토란 시료 1g을 Kjeldahl

플라스크에 넣은 다음, 분해촉매제(KjeltabsSe,FOSS,Korea) 2개와 진한황산 12mL을 가하여 혼합하고 420℃로 설정된 분해장치(Tecator Digester,FOSS,Korea)에서 2시간 동안 반응시켰다.

분해가 완료되면 30분간 냉각하여 AutoKjeldahl System(Kjeltec 1026, Foss,Korea)에서 증류 및 중화한 후 0.1NHCl 표준용액으로 적정 하였다. 같은 방법으로 시료를 제외한 공시험을 병행하였으며 아래와 같은 식으로 조단백질 함량을 구하였다.

조단백 (%) = (A-B)×M×14.01×F×100/S

A: 시료의 0.1NHCl 표준용액의 적정소비량 (mL)

B: Blanktest의 0.1NHCl 표준용액의 적정소비량 (mL)

M: HCl의몰농도

14.01 : 질소의 원자량

S: 시료의채취량 (mg)

- 조지방 정량

조지방 함량은 Soxhlet's추출법(AOAC, 1990)을 사용하여 측정하였다. 생토란, 증자 토란 및 흑토란 4g을 원통 여지에 넣은 후 항량이 된 수기에 petroleum ether를 140mL 넣고 냉각관, 추출관, 수기를 연결하여 heatingblock에서 60-70℃정도로 12시간 동안 가온하였다.

추출이 끝나면 수기만 분리하여 105℃에서 건조, 방냉, 그리고 침량 과정을 반복하여 함량 하였다. 그 후 아래와 같은 식으로 조지방 함량을 구하였다.

조지방 (%) = (W1-W0)/S × 100
W1: 지방 추출 후 건조한 수기의중량 (g)
W0: 수기의중량 (g)
S: 시료채취량 (g)

- 조회분 정량
조회분 함량은 550℃ 직접회화법(AOAC, 1990)을 이용하여 측정하였다. 함량된 도가니에 생토란 및 흑토란 1g을 넣고 550℃ 회화로에서 24시간 동안 회화하였다. 회화 후 방냉, 침량하여 함량이 될 때까지 반복한 후 아래와 같은 식으로 조회분 함량을 구하였다.

조회분 (%) = (W2-W0)/(W1-W0) × 100
W0: 항량된 도가니의중량 (g)
W1: 회화 전의 도가니와 시료의중량 (g)
W2: 회화 후의 도가니와 재의중량 (g)

- 탄수화물 정량

아래식과같이 전체100%에서 수분, 조지방, 조단백, 조회분의 함량 (%)을빼서 탄수화물 함량(%)을 구하였다.

탄수화물 (%) = 100% - (수분 + 조지방 + 조단백 + 조회분)%

- 조섬유 정량

조섬유 함량은 Henneberg-Stohmann개량법을 이용하여 측정하였다. 토란 시료 2g을 필터백에 넣고 밀봉하여 ethyl ether로 지방을 추출 후 제거하고 조섬유 추출기(Ankom2000,USA)에 장치하여 조섬유를 추출하였다. 0.255NH2SO4용액으로 40분간 산분해 한 후, 시약을 제거하고 뜨거운 증류수로 세척하였다.

0.13N NaOH 용액으로 위 과정을 반복한 뒤 꺼내어 acetone으로 세척한 다음 실온 건조 시킨후에 102±2℃의 dryoven에서 24시간 건조하였다. 항량된 도가니에 시료를넣어 회화시키고 무게를 재어 아래와 같은 식으로 조섬유 함량을 계산하였다.

조섬유 (%) = {W3-(W1×C1)}/W2×100
W1:filterbag의중량 (g)
W2: 시료중량 (g)
W3: 유기 물질중량(백과 섬유 연소 시 무게손실)
C1:빈 bag/오리지널 빈 bag 연소 시 가동 평균 중량

- 무기질 성분 분석

생토란 및 흑토란의 무기질 성분은 유도결합 플라즈마 원자방출 분광기(ICP-AES,Optima 4300DV, Perkin-Elmer,USA)를 사용하여 분석하였다. 시료 0.5g에 60% HNO_3용액을 혼합하여 150±10℃의 hotplate(PC-420, Corning,USA)에서 투명해질 때까지 가열 분해하였다. 냉각한 용액을 여과지(Whatman No.1)로 여과 후 100 mL로 정용하여 무기질 분석 시료로 사용하였으며, 분석 조건은 다음과 같았다(GasRF power: Ar gas1.30W ,Nebulizer gas flowrate: 0.45L/min, Plasma: 15L/min, Auxiallygas flowrate: 0.2L/min,Injectionvolume: 1.5mL /min).

- 분말색도

동결 건조하여 분말화 시킨토란 시료 3g을 취해 petridish(ϕ3.5 cm)에 채워 색도 측정용 시료로 사용하였다. 색차계(CM-5,Minolta,Japan)를 이용하여 Hunter'scolor value의L(lightness),a (redness), b(yellowness)값으로 나타내었으며, 5회 반복 측정하였다.

- 갈색도

생토란, 증자 토란 및 흑토란 0.5 g을 10 mL의 증류수를 이용하여 상온에서 1시간 동안 추출한 것을 시료로 사용하였으며, 분광광도계(Optizen2120UV,Mecasys,Korea)를 이용하여 420nm에서 흡광도를 측정하였다.

- Calcium oxalate 함량

Calcium oxalate 함량은UkpabiUJ와 EjidohJI(1989)의 방법을 변형하여 측정하였다. 동결 건조한 토란 시료 2g을 190 mL의 증류수와 10mL의 6MHCl에 희석 하였으며, 100℃에서 1시간 동안 가열 후 냉각하고 250 mL로채워서 여과하였다. 125 mL의 여과액에 methyl red50μL를 넣고 용액이 핑크색에서 연한노란색이 될 때까지 NH4OH 용액을 가하였다. 이를 90℃로 가열하고 10 mL의 5% CaCl2용액을 잘 저으면서 가한 후 5℃에서 12시간 냉각하였다.

원심분리기(Combi-514R, HanilScienceIndust rial,Korea)를 이용하여 1,350 xg에서 5분간 원심분리 후 상층액을 버리고 침전물을 10mL의 20% H2SO4용액에 녹였으며, 이를 50mL로 정용 후, 10mL를 끓기 직전까지 가열하여 식히고 0.05M KMnO4 용액으로 연한핑크색이 30초간 지속될 때까지 적정하였다.

아래식을 이용하여Oxalate 함량을 구하였다.

$$\text{Oxalate 함량 (mg/100g)} = \frac{T \times (Vme) \ (DF) \times 10^5}{(ME) \times S}$$

T: KMnO$_4$ 적정량 (mL)
Vme: Volume mass equivalent
DF: 희석 배수
ME: Molar equivalent of KMnO$_4$ in oxalate (5)
S: 시료의 채취량 (g)

- 총 당 함량

총 당 함량은phenol-sulfuric acid방법(Dubios M등 1956)을 이용하여 측정하였다. 동결 건조한 토란 분말을 희석하여 사용하였으며, 표준물질은 glucose(Sigma Chemical Co.USA)를 사용하였다. 시료 용액1mL에 95%황산(Sigma Chemical Co.USA) 5mL와 5%(v/v)phenol(Sigma Chemical Co.USA)용액 1mL를 가하여 충분히 발열시켰으며, 상온에서 30분 동안 반응시킨 후 470nm에서 흡광도를 측정하여(Optizen2120UV,Mecasys,Korea) 총 당 함량을 구하였다.

- 환원당 함량

환원당은 Dinitrosalicylic acid(DNS)에 의한 비색법을 일부 변형한 방법으로 측정하였다. 동결 건조한 토란 분말을 희석한 시료 용액 1mL에 DNS reagent 1mL를 혼합한 것을 90℃에서 15분 동안 반응시켰다. 10분 동안 실온에 방냉 한 후 570nm에서 흡광도를 측정하였으며(Optizen2120UV,Mecasys,Korea), glucose(Sigma ChemicalCo.USA)를 표준물질로 사용하여 정량하였다.

◉메탄올 추출물의 생리활성성분 및 항산화 활성 측정

1. 80% 메탄올 추출 및 수율

동결 건조한 토란 분말 5g에 50mL의 80% 메탄올을 넣어 3시간 동안 상온에서 180rpm으로교반(SI600R,LabCompanion,Korea)하며 추출하였다.

추출액은 여과지(Whatman,No.1)로 거른후에 남은 잔사를 동일한 방법으로 반복추출 하였으며, 추출물을 회전 진공농축(Rotavapor, Buchi, Germany)로 감압 농축하였다. 이를 동결 건조한 후 무게를 측정하여 수율을 구하였으며, 증류수에 일정한농도로녹여-80℃에 보관하며 생리활성성분 및 항산화 활성 측정에 이용하였다.

2. 총 폴리페놀 함량

총 폴리페놀 함량은 Folin-Ciocalteu reagent 방법(Singleton VL등 1965)을 일부 변형하여 구하였다. 흑토란의 메탄올 추출물을 5 mg/mL농도로 녹인 시료 60μL에 증류수 300μL를 넣고 충분히 교반한 후, Folin-Ciocalteuphenol reagent(SigmaChemical Co.USA) 900μL를 넣어 반응시켰다. 그 후,포화Na2CO3900μL를 넣고 교반하여 암실에 2시간 동안 방치하였다. Gallic acid(Sigma Chemical Co.USA)를 표준물질로 사용하였으며, 분광광도계(Optizen2120UV,Mecasys,Korea)를 이용하여 765nm에서흡광도를 측정하였다.

3. DPPH 자유 라디칼 소거 활성능

DPPH(1,1-diphenyl-2-picrylhydrazyl) 자유기 소거 활성은 Brand-WilliamsW등(1995)의 방법에 따라 측정하였다. 1-10 mg/mL로희석한 흑토란의 메탄올 추출물 200μL에 0.2 mMDPPH 용액800μL를 가하여 상온에서 30분간 반응시킨 후 517nm에서 흡광도를 측정하였다(Optizen2120UV,Mecasys,Korea).

양성 대조군으로 ascorbic acid(Sigma ChemicalCo.USA)를 사용하여 표준 검량곡선을작성하였으며,VitmaninCequivalent antioxidant capacity(mgVCEAC/g)로 환산하여 나타내었다.

4. ABTS 자유 라디칼 소거 활성능

ABTS(2,2'-Azino-bis(3-ethyl-benzothiazoline-6-sulfonic acid)diammoniumsalt) 자유기 소거 활성은Kim DO등(2002)의 방법을 참고하여 측정하였다. 1 mMAAPH와 2.5 mMABTS(Sigma ChemicalCo.USA)를 PBS(100 mM potassiumphosphate buffer,pH 7.4)에 1:1로 섞어 70℃의 항온수조에 1시간 동안 반응시켜 ABTS 용액을 만들었다.

ABTS 용액1470μL와 흑토란의 메탄올 추출물을 1-10 mg/mL로 녹인 시료 30μL를섞어 10분간 반응시켰으며, 734nm에서흡광도를 측정하였다(Optizen2120UV,Mecasys,Korea). 양성 대조군으로 ascorbicacid(Sigma Chemical Co.USA)를 사용하여 표준 검량곡선을작성하였으며, VitmaninC equivalent antioxidant capacity(mgVCEAC/g)로 환산하여 나타내었다.

5. FRAP 활성 측정

FRAP(ferric ionreducing antioxidantpower) 활성은 Benziel FF 등(1996)의 방법을참고하여 측정하였다. 300 mMacetate buffer(pH 3.6),40 mMHCl에 용해시킨10 mMTPTZ(2,4,6 - tripyridyl-s-triazine) 용액, 그리고 20mMFeCl3·6H2O용액을 10:1:1 비율로 혼합하여 37℃에서 가온한 것을 FRAP 용액으로 사용하였다. 토란 메탄올 추출물을 10mg/mL 농도로 희석한 시료용액 200μL와 FRAP 용액1500μL을 섞어 실온에서 30분 반응시킨 후 593nm에서 흡광도를 측정하였다(Optizen 2120 UV,Mecasys,Korea). Ascorbic acid(Sigma Chemical Co. USA을 표준물질로 사용하여 FRAP 활성을VitaminC equivalent antioxidant capacity(mgVCEAC/g)로 환산하여 나타내었다.

6. 통계 처리

본 연구의 모든 이화학적 실험은 3회 이상 반복실시하였으며, SPSS Statistics(Ver. 21.0) 통계 프로그램을 이용하여 평균과 표준편차를 나타내었다. 숙성 조건에 따른 실험 항목의 차이를 검정하기 위해 일원배치 분산분석(One-wayANOVA)을 실시하였으며, Duncan'smultiple rangetest를 이용하여p<0.05 수준에서 동일집단군을 구분하였다.

- 흑토란차의 관능 조건 최적화

1. 실험 계획

흑토란차 제조를 위한 관능 최적화를 위해 반응표면분(Response surface methodology: RSM)을 사용하였다. 2개의 인자로 이루어진 중심합성계획(central compositedesign)을 이용하여 실험을 계획하였으며,이 때 독립변수는 숙성 온도($X1$)와 숙성 시간($X2$)으로 하였고 최적화하려는 종속변수는 맛, 색, 향, 전체적인 기호도로 하였다. 예비실험을 통하여 각요인의 최소 및 최대 범위를 설정하였으며, 숙성 온도는 82.9-97.1℃, 숙성 시간은 6.7-63.3 h로 결정하여 $-\alpha$, -1, 0, 1,α의 5단계로 부호화하였다.

- 관능적 특성 평가

관능적 특성을 알아보기 위해 00대학교 구성원 중 시료에 알레르기 및 거부감이 없는 비숙련 패널 50명을 선정하여 실험의 목적과 검사 방법 등을 설명한 뒤 실험에 응하도록 하였다. 시료는 흑토란 분말 100g에 끓인 정수 물 2L을 가하여 5분간 추출한 후, 여과지(WhatmanNo.1)로 여과하여 상온의 온도로 제공되었으며, 10가지 시료의 맛, 색, 향, 전반적인 기호도를 7점척도로(지극히 싫다=1,싫다=2,약간싫다=3,보통이다=4,약간좋다=5,좋다=6,지극히 좋다=7) 평가하도록 하였다.

전 시료가 다음 시료에 영향을 주지 않도록 각 시료검사 후에 물로 입을 충분히 헹군후 일정 시간 이후에 평가하도록 하였다.

- 통계 처리

흑토란의 관능검사 결과에 대한 통계분석은 SASpackage(Statistical AnalysisProgram, version9.3)를 이용하였다. 숙성 온도와 숙성 시간을 독립변수로 하고 종속변수와의 관계를 2차 회귀식으로 구하였다. 반응표면 상태의 3차원 그래프와 등고선도는 SciDAVis softwarev0.2.4(open sourcesoftware)를 이용하여 나타내었다. 또한 각관능 평가 항목별상관관계를 나타내기 위하여 SPSS Statistics(Ver. 21.0)을 이용하여 상관분석을 실시하였다.

◉ 실험결과 및 고찰

1. 이화학적 특성

1-1. 일반성분

생토란과 증자 토란, 그리고 흑토란의 일반성분을 분석한 결과는 Table2에 나타내었다. 수분 함량의 경우 생토란이 87.69%, 증자 토란이 90.70%을 나타내었으며, 흑토란은 4.87-8.56%의 비교적 낮은 수분 함량을 보였다. 이는 증자 기간 동안 조리수로 인한 수분 증가와, 숙성 공정 및 건조 공정 동안의 수분 증발에 의한 것으로 사료된다. 특히 같은 온도의 숙성 조건에서 숙성 시간이 증가함에 따라 수분 함량이 낮아짐을 확인하였으며, 숙성 과정 동안 수분이 증발되었음을 알 수 있다.

인삼과 우엉을 증숙 및 건조 후 수분 함량을 비교분석한 결과에서도 가공횟수가 증가함에 따라 수분함량이 줄어든 것으로 나타나O 본 연구와 유사한 경향을 보였다(Hong HD 등 2007,Lee GY등 2015). 흑토란은 생토란과 증자 토란에 비해 탄수화물, 조섬유, 조단백, 조지방, 조회분 함량이 모두 증가하였으며, 이는 숙성 및 건조 과정 중 수분의 증발로 인한 다른성분의 함량비 증가에 기인한 것으로 생각된다.

흑토란은 70.66-76.25%의 탄수화물 함량, 10.79-14.74%의 조단백 함량, 0.26-0.50%의 조지방 함량, 그리고 6.07-8.16%의 조회분 함량을 함유하고 있는 것으로 나타났으며, 숙성 시간과 온도에 따른 경향은 크게 나타나지 않았다. 생토란의 조섬유 함량은 0.4%로 탄수화물 전체 중량 중 5.06%를 차지하였으나, 증자 및 숙성 과정중모두 증가하였다. 특히, 90℃에서 40시간 숙성한 흑토란의 경우 가장 높은 7.86%의 함량, 즉 전체 탄수화물 중 11.12%에 해당하는 조섬유 함량을 보였다.

Table 2. The proximate compositions of taro under different thermal processing

(unit: %, wet basis)

	Moisture	Carbohydrate (Crude fiber)	Crude protein	Crude lipid	Ash
Raw	$87.69\pm0.08^{b,1)}$	$8.89^i\ (0.45\pm0.03^k)$	2.04 ± 0.05^h	0.05 ± 0.01^f	1.33 ± 0.12^h
Steamed	90.70 ± 0.02^a	$7.29^k\ (0.68\pm0.01^j)$	1.33 ± 0.09^j	0.04 ± 0.00^f	0.64 ± 0.03^i
85℃ (20h)	8.56 ± 0.05^c	$72.25^g\ (5.23\pm0.02^f)$	12.22 ± 0.13^d	0.32 ± 0.01^d	6.65 ± 0.04^d
85℃ (40h)	7.75 ± 0.09^d	$74.81^c\ (5.44\pm0.08^f)$	10.79 ± 0.05^g	0.26 ± 0.01^e	6.39 ± 0.11^e
85℃ (60h)	5.61 ± 0.09^h	$75.35^b\ (6.06\pm0.05^d)$	12.61 ± 0.03^c	0.36 ± 0.02^{cd}	6.07 ± 0.06^f
90℃ (20h)	6.32 ± 0.09^f	$71.94^h\ (6.75\pm0.06^b)$	14.02 ± 0.06^b	0.43 ± 0.03^b	7.29 ± 0.25^b
90℃ (40h)	5.94 ± 0.20^g	$70.66^i\ (7.86\pm0.04^a)$	14.74 ± 0.04^a	0.50 ± 0.04^a	8.16 ± 0.04^a
90℃ (60h)	5.30 ± 0.10^i	$73.25^f\ (6.60\pm0.04^c)$	14.03 ± 0.02^b	0.44 ± 0.01^b	6.98 ± 0.17^c
95℃ (20h)	7.35 ± 0.05^e	$74.66^c\ (5.32\pm0.05^{hi})$	11.76 ± 0.09^f	0.39 ± 0.01^c	5.84 ± 0.10^g
95℃ (40h)	7.18 ± 0.06^e	$74.43^e\ (5.41\pm0.10^{gh})$	11.94 ± 0.01^e	0.33 ± 0.02^d	6.12 ± 0.06^f
95℃ (60h)	4.87 ± 0.10^j	$76.25^a\ (5.90\pm0.01^e)$	12.28 ± 0.06^d	0.33 ± 0.03^d	6.27 ± 0.11^{ef}

[1)] Values are means±standard deviation (SD) (n=3). Values of different superscript letters in each column are significantly different ($p<0.05$).

- 갈색도

토란의 숙성 조건에 따른갈색도는 Fig.1에 나타내었다. 생토란이 0.08의 흡광도를 보인데 반해 증자 토란에서는 0.02로 갈색도가 조금 낮게 나타났으며, 흑토란은 모두 생토란에 비해 유의적으로 높은값을 보였다(p<0.05). 이를 통해 흑토란의 갈색도 증가는 증자 과정보다는 숙성 과정이 주 된 원인인 것을 알 수 있다.

흑토란중85℃에서 20시간 숙성시 킨토란의 경우 0.30으로 가장 낮은 갈색도를 나타내었으며, 90℃에서 40시간 숙성시킨 토란이 0.88로 가장 높은 갈색도를 보였다. 식품의 갈변 반응은 아미노 -카르보닐반응과 캐러멜화 반응으로 대표되는 비효소적 갈변과 polyphenol oxidase가 관여하는 효소적 갈변으로 구분할 수 있으며, 높은 온도에서는 아미노산의 α-amino group과 당의 카르보닐화합물의 반응으로 melanoidine 색소를 형성하는 아미노-카르보닐반응이 주를 이룬다(Bae SK와 Kim MR 2002). 본 실험의 경우에도 토란을 증자하고 85℃이상의 온도에서 숙성하였으므로 갈변에 관여하는 효소는 거의불활성 되어 비효소적 반응이 갈변 현상의 주 된 원인이었을 것으로 사료되며, 같은 숙성 온도에서 시간이 지남에 따라 갈색도가 증가하는 것은 이러한 반응으로 인한 MRPs(Maillardreaction products)에 의한 것으로 생각 된다.

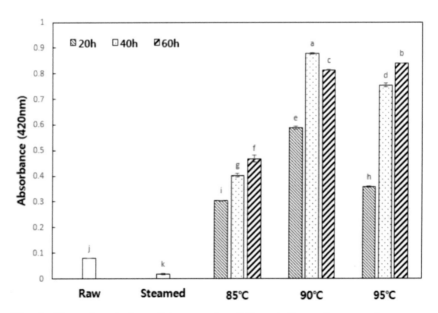

Fig. 1. Browning index of taro under different thermal processing
Values of different superscript letters are significantly different($p < 0.05$).
85℃, 90℃, 95℃, 20h, 40h, 60h: Aging conditions

- Calcium oxalate 함량

생토란에는 Calcium oxalate와 같은 oxalate가 다량 함유되어 있는 것으로 알려져있으며, 이는 신장 결석의 원인이 될 수 있고 (Emmanuel-Ikpeme CA 등 2007), 칼슘 흡수를 저해하고 아린 맛 과 독성을 나타내기 때문에 제거 후 섭취하는 것이 바람직하다. 토란과 뿌리식물인 마의 경우 50-75%의 oxalate가 수용성 형태로 존재하기 때문에 가공 공정 중 상당부분 용출되어 제거될 수 있는 것으로 밝혀져 토란에도 비슷한 효과가 기대되었다(Savage GP 등 2000).

본 실험의 Calcium oxalate 함량은 Fig. 2에 나타내었다. 생토란의 경우, 59.07 mg/100g의 가장 높은 Calcium oxalate 함량을 보였으며, 이는 CatherwoodDJ등(2007)이 앞서 연구한 54 mg/100g의 결과와 비슷하였다. 선행연구 결과에 따르면, 토란과 비슷한뿌리 식물의 Calcium oxalate 함량은 카사바의 경우 17 mg/100g, 고구마의 경우 32 mg/100g로 토란에 비해 비교적 낮은 함량을 함유하고 있는 것으로 나타났으며, 토란도 종에 따라 Xanthosoma속의 경우 23 mg/100g, Alocasia속의 경우 31 mg/100g으로 실험에 사용한Colocasia속에 비해낮은 함량을 보였다(Holloway WD 등 1989).
증자 토란은 37.20 mg/100g의 Calcium oxalate 함량을 보여, 생토란에 비해서 유의적으로 감소된 결과를 보였다.

흑토란은 85℃-20h의 28.14mg/100g에서 95℃-60h의 11.46 mg/100g까지의 함량을 나타내어, 증자 후 숙성 과정에서도 추가적인 Calcium oxalate 감소 효과를 보였다. 같은 온도의 숙성 과정에서는 시간이 지날수록 유의적으로 낮은 Calcium oxalate 함량을 나타냈으나, 온도에 따라서는 유의적인 변화가 없었다 ($p < 0.05$).

이를 통해 Calcium oxalate 함량에는 온도보다 가공 시간이더 영향을 미친다는 것을 추측해볼수 있다.Igbabul BD 등(2011)의 연구에서는 30℃의 물을 이용하여 토란을 숙성시켰으며, 비교적 낮은 온도임에도 숙성 시간에 따라서 Calcium oxalate가 유의적으로 감소하였다($p < 0.05$). 본 연구 결과에 따라 생토란에 비해 흑토란이 매우낮은 Calcium oxalate 함량을 나타내어 이에 의한 아린맛의 감소와 유용 영양 성분의 흡수율 증가가 기대된다.

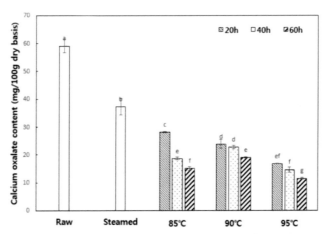

Fig. 2. Calcium oxalate contents of taro under different thermal processing

Values of different superscript letters are significantly different($p < 0.05$).

- 총 당 함량

토란의 열처리 조건에 따른총 당 함량은 Fig. 3에 나타내었다. 총 당은 생토란에서 112.53 mg/g의 함량을 보였으며, 증자 처리 후 70.51 mg/g로 감소하였고, 숙성 조건에 따라 흑토란에서는 54.94 −120.03 mg/g의 함량을 보였다.

생토란에 비해 증자 토란과 20시간 숙성시킨 토란에서 총 당 함량이 낮아진 것은 증자와 숙성 과정중수용성 당 성분이 조리수로 용출된 결과로 보인다. 이는 토란의 삶는 시간에 따라 총 당 함량이 유의적으로 낮아진다고 보고한 선행결과와 일치하였다(AmonAS 등 2014). 한편 같은 온도에서 숙성 시간이 증가함에 따라 총 당 함량도 유의적으로 증가하였다. 맥문동의 로스팅온도가 높아짐에 따라 총 당 함량이 증가하였다고 보고한 BaeKM등(2010)은 열처리에 따라 당의 일부 결합이 분해되고, 가열에 의한 수분 증발로 인하여 식물체의 구조가 변형되어 수용성 물질의 추출이 용이하게 될 수 있다고 하였다.

AboubakarX 등(2009) 또한 토란의 조리 시간에 따른수용성 당 함량이 유의적으로 증가하였다고 하여 본 연구의 결과와 유사하였으며, 토란을 오래숙성 시킴에 따라 고분자 물질에 결합되어 있던 당의 일부가 분해되고 총 당 중 에서도 수용성 당이 용이 하게 추출되었기 때문인 것으로 생각된다.

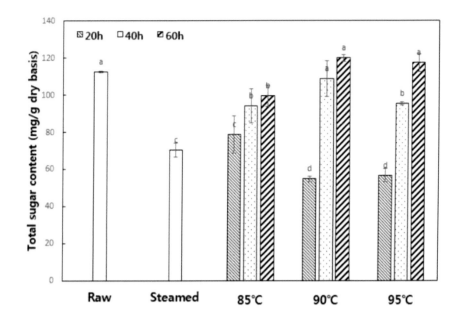

Fig. 3. Total sugar contents of taro under different thermal processing

Values of different superscript letters are significantly different($p < 0.05$).

- 환원당 함량

환원당은 설탕을 제외한포도당, 과당, 맥아당 등을 포함하며 반응성이 있는 알데히드기와케톤기를 가지고 금속염 알칼리용액을 환원시키는 단 당류와 올리고당류의 총칭이다(ChoiJH 등 1998). 생토란과 증자 토란, 그리고 흑토란의 숙성 조건별환원당 함량은 Fig. 4와같다.

생토란은 42.48 mg/g의 환원당 함량을 보였으며, 가공과정 중 유의적으로 감소하여 증자 토란에서는 12.29 mg/g, 흑토란에서는 12.73-24.14 mg/g의 함량을 나타내었다. 흑토란은 숙성시간이나 온도에 따른특정한 변화 경향이 나타나지 않았으며, 90℃에서 40시간 숙성한 토란에서 24.14 mg/g의 가장 높은 함량을, 그리고 85℃에서 40시간 숙성한 토란에서 12.73 mg/g의 가장 낮은 함량을 나타내었다.

식품에서 비효소적 갈변 반응은 환원당과염기성 아미노산의 결합에 의해 일어나므로 갈변 반응 시 환원당과염기성 아미노산 함량이 감소될 수 있다(Kim SD 등 1981). 또한 토란을 반복적으로 열처리함에 따라 비환원당의 분해로 인한 저분자 환원당의 생성과용출 등 의복합적인 작용이 일어나 숙성 조건에 따라 다양한 환원당 함량이 나타난것으로 생각된다.

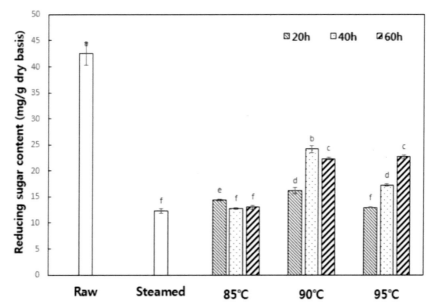

Fig. 4. Reducing sugar contents of taro under different thermal processing

Values of different superscript letters are significantly different($p<0.05$).

◉ 메탄올 추출물의 생리활성성분 및 항산화 활성

1. 80% 메탄올 추출 및 수율

80% 메탄올을 이용하여 생토란, 증자 토란 및 흑토란을 추출한 것의 추출 수율을 Fig. 5에 나타내었다. 생토란은 13.69%의 추출 수율을 보였으나, 가공 공정을 거침에 따라 감소하여 5.92%- 10.54%의 추출 수율을 나타냈으며, 90℃에서 40시간 숙성한 토란이 10.54%의 가장 높은 추출 수율을 보였다.

AboubakarX등(2009)은 토란을 열처리 하였을 때 가용성단백질 등이 감소한다고 보고하였으며, 이와같이 열처리 공정을 거친 토란의 가용성 성분 용출이 감소된 것으로 사료된다. 또한Kim CS 등 (2006)의 연구에 따르면,홍삼에서 증숙과 건조 과정을 반복함에 따라 호화 후 건조에 의해 조직이 수축되었다고 하였으며, 토란에서도 이러한 조직의 변화로 인해 추출 수율의 감소가 일어났던 것으로 생각된다.

◉ 총 폴리페놀 함량

폴리페놀 화합물은flavonoids, antocyanins, tannins,catechins, isoflavones, lignans, resveratrols등을 총칭하며 식물계에널리 분포되어 있다(Urquiagal와 LeightonF 2000). 특히폴리페놀계 화합물들은 분자내 phenolic hydroxyl기를 다수 가지기 때문에 공명 안정화된 구조로써 여러화합물과 쉽게 결합하여 항산화 등의 생리활성 기능을 갖는 것으로 알려져있다.

흑토란 메탄올 추출물의 총 폴리페놀 함량은 Fig. 6에 나타내었다. 흑토란은 20.61-28.20 mg GAE/g 범위의 총 폴리페놀 함량을 보였으며, 비슷한 뿌리식물인 고구마가 2.61-3.59 mg GAE/g, 더덕이 6.57 mg GAE/g의 폴리페놀 함량을 나타낸것에 비해 높은 폴리페놀을 함유하고 있는 것으로 나타났다.

한편 연구에서 흑토란의 숙성 온도에 따라서는 폴리페놀 함량이 유의적으로 증가하였지만($p < 0.05$), 숙성 시간에 따른변화 추이는 온도에 따라 상이하였다. Park HJ등(2013)은 옻나무 추출물의 열처리 온도와 시간에 따른 폴리페놀 함량 변화를 연구하였으며, 온도가 시간에 비해 폴리페놀 함량에 더 큰 영향을 미친다고 보고하여 본 연구 결과와 일치하였다.

숙성 온도가 증가함에 따라 토란의 총 폴리페놀 함량이 증가한 것은 인삼을 열처리하였을 때 온도에 따라 폴리페놀이 증가한다고 보고 한 Yang SJ등(2006)의 결과와 비슷한 경향이었다. 이는 온도가 높아짐에 따라 폴리페놀이 유리형으로 전환되거나 고분자의 페놀성 화합물이 저분자의 페놀성 화합물로 전환된 것으로 생각된다.

Shin MH(2015)은 토란의 조리 과정중의 폴리페놀 함량 변화를 연구하였으며, Blanching의 경우 유의적으로 감소하였고, Boiling 과 Steaming의 경우 유의적인 차이가 없었다($p < 0.05$).

한편 Microwaving의 경우 폴리페놀 함량이 유의적으로 증가하였으며, 흑토란 개발 중 폴리페놀 함량을 높이기 위한 증자 과정 대체방법으로 이를 활용할 수 있겠다.

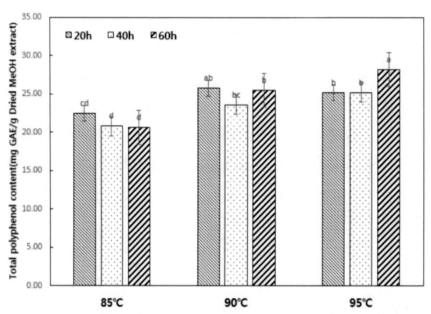

Fig. 6. Total polyphenol contents of black taro under different thermal processing

Values of different superscript letters are significantly different($p<0.05$).

- 자유 라디칼 소거 활성능

토란의 숙성 조건에 따른 항산화 활성을 알아보기 위하여 DPPH와 ABTS 자유기 소거 활성을 측정하였으며, 이를 Vitamin C equivalent antioxidant activity capacity(VCEAC)와 EC50 value로 환산하여 제시하였다(Table 5).

DPPH와 ABTS 라디칼 소거능은 숙성 온도가 높아짐에 따라 증가하는 유사한 경향을 나타내었다. DPPH 라디칼 소거능은 85℃에서 40시간 숙성시킨 토란에서 3.67 mgVCEAC/g의 가장 낮은 값을, 95℃에서 60시간 숙성시킨 토란에서 7.52 mgVCEAC/g의 가장 높은 값을 나타냈으며, ABTS 라디칼 소거능은 85℃에서 20시간 숙성시킨 토란에서 9.63mgVCEAC/g의 가장 낮은 값을, 95℃에서 60시간 숙성시킨 토란에서 20.32VCEAC/g의 가장 높은 값을 보였다.

EC50 value 또한 총 항산화력과 유사한 결과를 보여, 두 값 모두 95℃에서 60시간 숙성시킨 토란에서 가장 낮았다. 마늘 또한 고온 고압처리시 온도가 높아짐에 따라 DPPH와 ABTS 라디칼 소거능이 증가하였으며(LeeYR 등 2012), 증건한 더덕도 생더덕에 비해 유의적으로 높은 항산화력을 나타냈다고 보고되어 열처리에 따른 항산화력의 변화가 본 연구와 유사한 것으로 확인되었다.

고온의 가공 공정을 거치면 새로운 페놀화합물질이 생성되고 갈변 물질 등이 증가하게 되며 이는 항산화력의 증가에 큰 영향을 미친다(ShinJH 등 2008). 특히갈변 반응으로 인해 생성되는 melano idine은 강한 항산화력을 가지며 이는 melanoidine에 포함된 환원성 성분에 의한 radical scavenger작용 등에 기인한다(Lee JW와 DoJH 2006). 토란의 숙성 온도와 시간이 증가함에 따라 갈변 반응이 활발하게 일어나 항산화력의 증가에 영향을 미쳤을 것으로 사료된다. 또한 본 연구 결과는 Fig. 6의 총 폴리페놀 함량의 분석 결과와 유사하여 폴리페놀 성분 증가 또한 항산화 활성에 효과를 주었을 것으로 판단된다.

- FRAP 활성

FRAP 활성은 DPPH와 ABTS 자유기 소거 활성능이free radical 을 직접적으로 소거하는 것에 의해 항산화 활성을 평가하는 방법 인데 반해, 산화 및 환원 반응을 이용한 매커니즘을 이용한다(Lee HR 등 2008). 따라서 DPPH와 ABTS 라디칼 소거능과 다른결과 가 나타날 수 있으며, 토란의 숙성 조건에 따른FRAP 활성을 Fig. 7에 나타내었다. 85℃에서 숙성한 토란은 3.43-4.28 mgVCEAC /g, 90℃에서 숙성한 토란은 5.78-6.44 mgVCEAC/g, 그리고 95℃에서 숙성한 토란은 5.15-6.79VCEAC/g의 FRAP 활성을 나타내었다.

전체적으로 DPPH와 ABTS 라디칼 소거능과 유사하게 경향을 보였으나, 20시간과 40시간 숙성시킨시료에서는 90℃보다 95℃에서 숙성시켰을 때 FRAP 활성이 낮아지는 결과를 보였으며, 높은 온도에서 단시간 숙성 시 수용성 생리활성 성분이 용출된 것으로 사료된다. 또한 토란의 FRAP 활성 결과는 전체적으로 Fig. 1에 나타내었던 갈색도 결과와 상당히 유사하여 숙성 중 갈변 반응이 FRAP 활성에 큰 영향을 미친 것으로 판단된다.

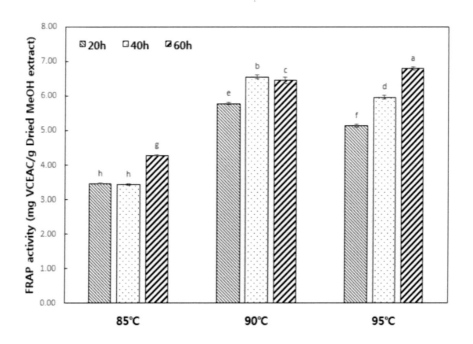

Fig. 7. FRAP activities of black taro under different thermal processing

Values of different superscript letters are significantly different($p<0.05$).

◉ 반응표면분석에 의한 흑토란차의 관능 최적화

반응표면분석(Responsesurface methodology)은 독립변수의 조건에 따라 얻어진 반응변수의 값을 좌표에 그려 반응 표면을 추정하고, 반응값을 최대혹은 최소로 최적화하는 독립변수의 조건을 찾는 분석 방법이다(KimJC 등 2015). 식품에 있어서 반응표면분석법은 생리활성 물질을 최적으로 추출하는 조건을 찾거나, 관능적 기호도가 가장 높은 재료의 배합 비율이나 가공 조건을 탐색하는데 주로 이용되어왔다.

Ban YJ 등(2010)은 반응표면분석을 이용하여 흑생강의 항산화력을 최대화시키는 증숙 조건을 탐색하였으며, 흑생강 음료 제조를 위한 기초 자료로 사용하였다. 이에 따라 토란의 숙성 온도와 숙성 시간에 따른 흑토란 차의 색, 맛, 향, 전반적인 기호도의 반응 관계를 알아보고 기호도가 가장 높은 숙성 조건을 탐색하기 위해 관능검사와 반응표면분석을 실시하였으며, 각실험 조건에 따른 기호도검사 결과를 Table 6에 나타내었다.

Table 6. Experimental data of sensory evaluation[1] for sensory optimization of black taro

Standard order	Temperature (X_1, ℃)	Time (X_2, h)	Color	Taste	Aroma	Overall acceptance
1	-1 (85)	-1 (20)	3.78±1.22	3.44±1.49	4.16±1.22	3.68±1.45
2	1 (95)	-1 (20)	3.10±1.42	3.56±1.46	3.90±1.13	3.42±1.36
3	-1 (85)	1 (60)	4.02±1.22	3.58±0.95	4.04±1.09	3.84±1.23
4	1 (95)	1 (60)	4.08±1.68	2.66±1.38	3.96±1.19	3.10±1.31
5	-α (82.9)	0 (40)	3.54±1.28	3.40±1.54	4.06±1.02	3.60±1.29
6	α (97.1)	0 (40)	3.94±1.36	3.30±1.36	4.30±1.16	3.71±1.27
7	0 (90)	-α (11.7)	3.92±1.43	3.42±1.44	3.98±1.10	3.62±1.32
8	0 (90)	α (68.3)	4.78±1.22	3.54±1.64	4.40±1.16	3.88±1.39
9	0 (90)	0 (40)	4.36±0.95	3.73±1.18	4.22±0.73	4.07±1.07
10	0 (90)	0 (40)	4.35±1.22	3.74±1.22	4.22±0.97	4.08±1.20
11	0 (90)	0 (40)	4.37±1.24	3.74±1.64	4.20±0.97	4.06±1.42
12	0 (90)	0 (40)	4.35±1.03	3.75±1.54	4.20±1.30	4.08±1.53

[1] 1: extremely dislike, 2: dislike, 3: slightly dislike, 4: neither like or dislike, 5: slightly like, 6: like, 7: extremely like

- 색 (Color)

토란의 숙성 조건에 따라 흑토란을 우린차의 색이육안으로 구별될 정도로 다른것을 확인할 수 있었으며, 이에 대한 기호도를 확인하기 위해 실험 조건에 따른 반응표면분석을 실시하여 Table 6에 나타내었다. 90℃에서 68.3시간 동안 숙성시킨8번시료에서 4.78의 가장 높은 기호도가 나타났으며, 95℃에서 20시간 동안 숙성시킨 2번 시료에서 3.10의 가장 낮은 기호도를 보였다. 다중회귀분석을 통해 다음과같은 실험 조건에 따른색 기호도의 2차 다항방정식을 유도하였다.

$$Y_1 = -113.6038 + 2.6760X_1 - 0.1351X_2 - 0.0153X_1^2 - 0.0002X_2^2 + 0.0019X_1X_2$$

R2값은 0.8417이었으며,p-value는 0.0101로 5% 이내에서 유의적인 결과를 나타내어 2차 다항방정식이 반응값 예측에 적합한 모델로 예측되었다. 색에 대한 기호도는 숙성 시간보다 숙성 온도에 영향을 많이 받는것으로 나타났다. 숙성 온도와 숙성 시간에 따른 색 기호도 변화를 Fig.8의 3차원입체그림과 등고선도로 나타내었으며, 정상점이 최대점인 모델임이 확인되었으나 최대점의 시간 범위는 실험 범위를 벗어난 것으로 나타났다.

즉, 숙성 온도가 93.10℃, 숙성 시간이 91.94시간일 때 색에 대하여 4.75의 최적 기호도를 갖는 것으로 예측되었다.

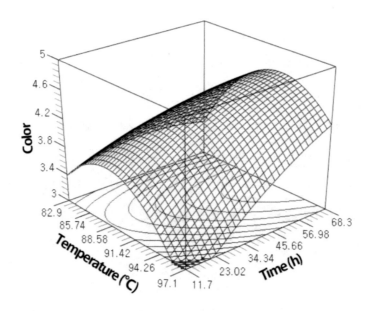

Fig. 8. Response surface plot and contour plot showing the effects of aging temperature(℃) and time(h) on color acceptance of black taro

- 맛 (Taste)

토란의 숙성 조건에 따른 맛에 대한 기호도는 Table 6에 나타내었다. 맛에 대한 기호도는 2.66-3.75 범위내의 값을 보였으며, 90℃에서 40시간 동안 숙성시킨 12번 시료에서 3.75의 가장 높은 기호도가 나타났다. 다중회귀분석을 통한 실험 조건에 따른 맛 기호도의 2차 다항방정식은 다음과 같았다.

$$Y_2 = -74.6892 + 1.6518X_1 + 0.2613X_2 - 0.0087X_1^2 - 0.0004X_2^2 + 0.0026X_1X_2$$

반응모델의 적합도를 나타내는 R2은 0.8244의값을 보였고, p-value는 0.0332로 5% 이내에서 유의적인 결과를 나타내어 2차 다항방정식 모델이 적합하다고 판단하였다. 토란의 숙성 온도와 숙성 시간 모두 유의적으로 맛 기호도에 영향을 미치는 것으로 나타났다.

숙성 온도와 숙성 시간에 따른 맛의 기호도 변화에 대한 3차원 그래프와 등고선도를 Fig. 9에 나타내었으며, 실험 범위내에 최대점의 정상점을 갖는 모델임이 확인되었다. 숙성 온도가 88.73℃, 숙성 시간이 39.50시간일 때 맛에 대한 기호도가 가장 높으며, 이때의 예측된 기호도는 3.75였다.

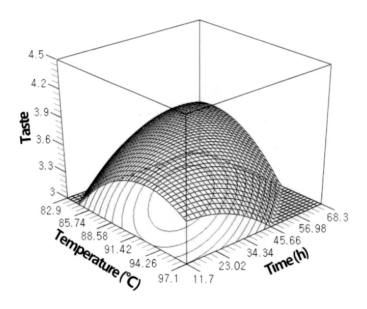

Fig. 9. Response surface plot and contour plot showing the effects of aging temperature(℃) and time(h) on taste acceptance of black taro

- 향 (Aroma)

흑토란 차의 향에 대한 기호도 결과는 Table 6과 같다. 95℃에서 20시간 동안 숙성시킨 2번 시료에서 3.90의 가장 낮은 기호도가, 90℃에서 68.3시간 동안 숙성시킨 8번 시료에서 4.40의 가장 높은 기호도가 나타났으나 차이는 크지 않았다. 측정한 실험값으로 다중회귀분석을 실시한 결과, R2값은 0.3282, p-value는 0.6508로 향에 대한 2차 다항방정식은 유의하지 않아 적합한 반응 표면을 이끌어낼 수 없었다. 숙성 조건에 따라 시료의 향에 대한 기호도를 구분하지 않은 패널이 많은 것으로 보아 향에 있어서 시료간에 큰 차이를 보이지 않은 것으로 판단된다.

- 전반적인 기호도 (Overall acceptance)

토란의 숙성 조건에 따른흑토란 차의 전반적인 기호도 결과 Table 6에 나타내었다. 전반적인 기호도는 90℃에서 40시간 동안 숙성한 10번 시료에서 4.08의 가장 높은 값을 나타냈으며, 95℃에서 60시간 동안 숙성한 4번 시료에서 3.10의 가장 낮은 값을 보였다. 흑토란 차의 전반적인 기호도에 대한 2차 다항방정식을 다중회귀분석을 통해 유도하였으며, 그결과는 다음과 같다.

$$Y_4 = -81.7543 + 1.8605X_1 + 0.1512X_2 - 0.0102X_1^2 - 0.0005X_2^2 - 0.0012X_1X_2$$

반응모델의 적합도를 나타내는 R2값은 0.7480이었고, p-value는 0.0450로 5% 이내에서 유의적인 결과를 나타내어 2차 다항방정식 모델의 적합성이 확인되었다. 전반적인 기호도에 더 영향을 주는 숙성 조건은 토란의 숙성 온도인 것으로 나타났다. 숙성 조건에 따른 전반적인 기호도 변화를 Fig. 10의 3차원 입체그림으로 나타내었으며, 최대점의 정상점을갖는 모델이었다. 즉, 흑토란을 우린차의 최적 조건은 숙성 온도 88.82℃, 숙성 시간 42.60시간으로, 이 때의 전반적인 기호도는 4.09일 것으로 예측되었다.

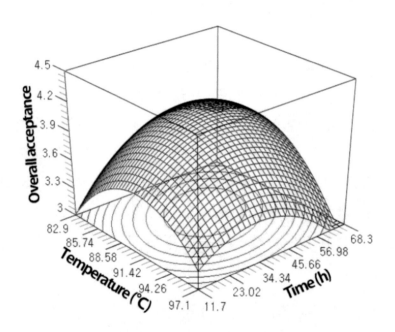

Fig. 10. Response surface plot and contour plot showing the effects of aging temperature(℃) and time(h) on overall acceptance of black taro

본 연구를 통해 토란의 숙성 조건에 따른 이화학적 특성 및 항산화 활성의 차이를 확인하였으며, 관능적으로 최적이 되는 토란의 숙성 조건을 확인하였다. 실험 결과를 종합해 보았을 때, 생토란에 비해 흑토란에서 섬유소 함량의 증가, Calcium oxalate의 유의적인 감소, 그리고 갈변 반응으로 인한 생리활성 성분의 증가 효과를 기대할 수 있었다.

높은 항산화 효과를 위해서는 높은 온도에서 오랜 시간 숙성이 필요하며, 88.73-88.82℃의 온도에서 39.50-42.60 시간 동안 숙성시켰을 시 관능적으로 우수한 흑토란을 생산할 수 있을 것으로 사료된다. 위 연구는 토란의 이용성을 증진시키며 흑토란 분말의 다양한 식품재료로서의 활용 가능성을 탐색하기 위한 기초 자료가 될 것으로 사료된다.

토란 물 추출물 및 토란 조다당 추출물의 비만개선과 효능

지방은 필수지방산을 제공하고 고 에너지원으로 사용되며 효율적인 체내외의 에너지 저장원으로 생존에 꼭 필요한 영양소로 이용되지만, 과잉 섭취하게 되면 지질대사에 이상을 초래하여 혈액과 조직의 지질 성분에 변화가 일어나고, 간장 등 장기 조직에 지방을 침착시킨다. 지방조직에 일반적이지 않은 많은 양의 지방이 축적되어 체중의 증가를 초래하는 비만은 다양한 선진국의 주요 보건 문제 중 하나이다.

비만은 보통 과도한 지방 관련 대사질환과 제2형 당뇨병, 고혈압 및 이상 지질혈증을 포함하는 만성 질환의 문제가 된다. 일반적으로 심혈관 질환과 암과 같은 몇 가지 질병 및 질환 등은 비만과 관련이 있어, 비만율에 비례하여 사망률도 증가한다.

현대 사회에 있어서 중요한 비만은 고열량 식품 섭취와, 약물 원인, 스트레스에 의한 신경 내분비적 요인, 그리고 운동량 부족 등 다양한 원인에 의해 발생되고 있다.

최근 우리나라에서도 경제성장과 국민소득의 향상으로 식생활이 서구화됨에 따라 어릴 때부터 고열량 식품의 섭취가 증가하며 지방 함량이 많고 식이섬유가 적은 정제 식품 섭취 및 인스턴트 증가로 인해, 체중과다나 비만이 늘어나고 있으며, 코로나19로 인하여 외출과 모임, 다중이용시설이 제한되며 오프라인의 소비 감소와 함께 온라인 소비의 증가로 음식 배달 서비스가 87.7% 증가함에 따라 영양 불균형이 일어나고 있다.

대체로 비만의 원인은 사람들이 보통 사람에 비해 에너지 섭취량이 많기 때문이라는 보고가 있다. 비만은 지방전구세포의 분화 및 adipogenesis 과정에 의하여 지방세포의 세포 내 중성지방(triglyceride, TG)의 축적으로 발생하며 이러한 기작을 조절하는 것이 비만 억제의 효과적인 치료 방법으로 알려져 있다. Adipogenesis, 즉 지방세포의 형성은 지방세포가 만들어지는 분화 과정의 세포의 형태와 유전자 및 단백질의 발현 및 호르몬

민감성의 변화 등을 동반한다. Adipogenesis의 분자적인기전으로는 peroxisome proliferator-activated receptorγ (PPARγ) 및 cytidine-cytidine-adenosine-adenosine-thymidine(CCAAT)/ enhancerbinding proteins (C/EBPα, C/EBPβ, C/EBPδ) 등과 같은 adipogenictranscription factor 등이 중요한 조절자로서 관여하는 것으로 알려져 있다

지방세포의 분화는 전사 인자의 두 가지 계열 CCAAT/Enhancer 결합단백질 (C/EBP) 와 Peroxisome proliferator-activated receptor(PPAR)에 의해 조절된. 지방산 결합 단백질 4라고도 불리는 FABP4는 지방산 운반체 단백질로 이 단백질을 차단하면 심장병과 대사증후군을 치료할 가능성이 있다는 연구 보고가 있다.

LXR(Liver X receptor)는 전사 인자의 핵 수용체 계열의 구성원이며 콜레스테롤, 지방산을 조절하는 인자이다. LXR은 베타아밀로이드를 감소시켜 알츠하이머의 치료에 주목 받았으나, 일부 마우스 모델에서 혈장 및 간에서 TG를 증가시키는 문제가 보고 되었다.

FAS(지방산합성효소)의 대사 및 항상성은 살아있는 동물들의 인슐린에 대한 반응으로 SREBP-1c에 의해 전사적으로 조절되며 LXR이 섭식 시 SREBP-1c(스테롤 조절요소 결합 단백질)의 발현을 조절한다. 현재까지 보고된 동물 실험 결과들은 어린 개체들은 지방세포 수와 크기가 모두 증가하지만 성인이 된 개체들은 지방

세포 수는 변화가 없으며 체중 증가 또는 비만이 되면 지방세포 크기가 증가한다고 알려져 있다. 또한 흰쥐 실험에서 고지방 식이군이 대조군에 비해 체중이 약 20% 이상 증가하였으며, 실험군에 일반 식이를 섭취 시켰더니 체중이 감소하고 지방세포의 크기도 줄었으나 지방세포의 수는 줄지 않았다고 하였다.

고지방 식이(HFD)를 급여한 실험동물 모델의 경우 비만과 고혈당증을 나타내어 비만을 예방하기 위한 치료제와 약제의 개발에 적합한 것으로 알려져 있다. 현재 치료제나 약제의 부작용들에 따라 최근에는 천연물질들이 포함된 대체 물질들에 대한 관심이 증가되고 있다.

천연물질을 이용한 약물치료법은 현재 기본 요법에 대해 진보적이고 혁신적인 방안으로 간주될 수 있다. 다당류는 생물학적 거대분자로, 단백질, 폴리뉴클레오티드와 함께 생체의 성장과 발달에 중요한 역할을 하는 중요한 생체고분자이다. 다당류는 고등 동물 및 식물 세포의 막과 미생물의 세포벽의 중요한 구성요소로 사용되고 있다. 이는 생리적 기능과도 밀접한 관련이 있는데, 최근에는 생리활성 천연물의 부류로 다당류에 대한 관심이 높아지고 있다. 현재 수많은 연구에서 천연 다당류의 생물학적 활성이 입증되어, 질병 치료에 다당류를 적용할 수 있다.

식물은 예로부터 인간의 건강을 유지하며 인간의 삶과 질을 향상
시키는 중요한 역할을 했으며, 의약품과 조미료, 화장품 및 염료의
구성요소로서 작용하였다. 그중에서 토란은Araceae과 다년생 초본
으로서 열대 및 온대지방에서 널리 재배되며, 전 세계적으로 100
속, 1,500품종이 분포하고 있다.

토란은 구근류 중 칼로리가 가장 낮으며, 감자류 중에서는 비교적
단백질이 많이 함유되어 있고 필수아미노산과 식이섬유소가 풍부하
다. 과거 아시아에서 연구된 결과에 따르면 토란으로 만든 포이
(poi) 형태의 이유식을 먹인 아기가 쌀과 빵을 먹인 아기보다 설
사, 폐렴, 장염 등과 같은 건강 상태로 고통받는 것이 더 적은 것
으로 나타났다.

토란은 감자의 10분의 1 정도의 작은 전분 입자를 가지고 있어
소화가 잘 된다. 한 연구 결과에서 토란 추출물이 구강염을 일으
키는P. gingivalis에 대해 항균 활성을 나타낸다는 연구 결과가 보
고되었고, 6-Hydroxydopamine로 유도된 파킨슨병 모델에서 토
란 추출물이 신경염증 반응을 억제하고 신경돌기 성장, 신경연접
생성 및 신경 가소성에 관여하는 내인성인자의 발현을 촉진하는
데 기여하고 있음을 확인하였다. 따라서 본 연구는 국내에서 재배
가 가능하고 어디서든 잘 자라며, 체내에 부작용이 적고 영양가
높은 토란을 이용하여, 물과 에탄올을 이용하여 물 추출물과 조다
당 추출물을 제조한 후 항염, 항비만 활성마우스 모델을 이용하여

혈액의 지질성상 비교를 통해 토란을 이용한 추출물들의 항비만 활성을 통한 검증을 이용하여 토란 물 추출물과 조다당이 새로운 천연물 소재로써 다양한 분야에서의 이용이 가능한지 확인하기 위해 조다당의 성분 분석을 통한 메커니즘을 규명하고자 한다.

◉재료 및 방법

1. 시약 및 기기

DPPH (1,1-diphenyl-2-picrylhydrazyl) (Sigma Chemical, USA), NO(nitric oxide) kit (KOMABIOTECH, KOR), ELISA (enzyme-linkedimmunosorbent assay) kit (AbFRONTIER, KOR), TRIzol reagent (SigmaChemical, USA), ethanol(Daejung, KOR), hexnae (Daejung, KOR),DEPC (diethyl pyrocarbonate) water (Thermo Scientific, USA), agarose(Bioneer, KOR), RT-PCR premix kit (Bioneer, KOR),centrifuge(Labogene, KOR), ELISA reader (Thermo Scientific, USA),fluoro box(Neo Science, KOR), Chemi-luminescence imagingsystem (Neo Science,KOR), BA-400 (Biosystems, KOR)를 사용하였다.

2. 토란 물 추출물 및 조다당 추출물의 제조

토란을 이용한 추출물들을 항비만을 이용한 소재로써 사용하기 위해 전라남도 곡성에서 생산한 껍질을 제거한 토란을 사용하였다. 껍질이 제거된 토란을 수세하여 지름 1~3 cm, 두께 1 cm 정도의 크기로 슬라이스하여 건조하였다. 건조된 토란을 분쇄기(HR-2860, PHILIPS, Korea)를 이용하여 고운분말 가루로 분쇄한 후 토란 분말 시료 30g에 D.W 1L를 넣어 혼합 용액을 만들고, 에탄올 1L에 토란 분말 시료 30g을 침전시켰다. 이후 얻어진 추출물을 감압 여과하여 불순물을 제거하였고, 이후 동결건조하여 분말 형태의 최종 토란 물 추출물과 토란 조다당 추출물을 10 ± 0.3g을 얻었다.

3. 아미노산 분석

토란을 이용한 추출물들을 이용하여 6 N 농도의 HCl로 가수분해한 후 N2gas를 이용하여 purging을 약 1분간 진행, 이후 Oven을 사용하여 110℃ 22h 건조, 40~80 감압 증발 후 0.02 N HCl에 희석하여 0.45µm 시린지 필터에 여과하여 시료를 전처리하였다.

시료는 검출한계 5 pmol 이하, 머무름 시간은 최저 농도 2 nmol 일 때 0.5%, 피크 범위는 최저 농도 2 nm일 때 2.0%로 HITACHI 아미노산 분석기 L-8900를 사용하여 구성 아미노산 분석을 진행하였다.

4. 추출물의 항산화 활성

4-1. DPPH radical 소거 활성 측정

DPPH radical 소거능은 1,1-diphenyl-2-picryhydrazyl (DPPH)를 이용한 senba의 방법에 따라 측정하였다. 96-well plate에 농도별 토란 추출물과 토란 조다당 추출물 100μℓ와 0.2mM 농도의 DPPH 용액 100 μℓ를 혼합한 후 빛을 차단하여 상온에서 20분간 반응시켰다.

이후 분광광도계를 이용하여 492 ㎚에서 흡광도를 측정하였다. 대조군은 에탄올을 시료로 대체하여 첨가하였다. DPPH radical 소거능은 시료의 흡광도와 대조군의 흡광도를 이용하여 계산하였으며, 항산화 능력이 높다고 알려진 L-ascorbic acid를 대조군으로 사용하여 항산화 활성을 비교하였다.

DPPH scavenging effect(%) = [1-(Abssample-Absblank)/Abscontrol] × 100

Abssample: sample 흡광도

Absblank: color control 흡광도

Abscontrol: negative control 흡광도

4-2. ABTS radical 소거 활성 측정

ABTS[2,2-azinobis-(3-ethylbenzo-60sulphonate]를이용하여 cationdecolorization assay의 방법으로 ABTS radical 소거 활성을 측정하였다. 7.4mM의 용액 100ml 와 potassium persul fate를 2.45 mM이 되도록 암실에서 24h 반응시켜 734 nm에서 0.7의 흡광도 값을 갖도록 몰 흡광계수를 이용하여 phosphate buffer saline(PBS, pH 7.4)로 희석하였다.

희석된ABTS 용액 990ul에 각각 CEW, CEP 10ul를 가하여 25 min 후 흡광도 변화를 측정하였다. 시료의 흡광도와 대조군의 흡광도를 이용하여 계산하였으며, 항산화 능력이 높다고 알려진 L-ascorbic acid를 대조군으로 사용하여 항산화 활성을 비교하였다.

5. 고지방식이 급여를 통한 비만 마우스 모델
5-1. 실험동물 사육 및 식이 조성

실험동물은 4주령의 수컷 ICR mouse를 오리엔트 바이오(Orient Bio,Korea)로부터 분양받아 온도 25 ± 3℃와 습도 45 ± 10% 및 12시간의 명암주기가 유지되는 환경의 사육실에서 멸균된 bedding materials와 고형사료를 공급하였으며, 사료와 물을 자유롭게 섭취시키면서 1주 동안 적응 기간을 가졌다. mouse는 임의로 4개 군으로 분류하였으며, 정상군(Nor), 고지방식이군(HFD), 토란 200mg/kg 물 추출물 투여군(CEW), 토란 100mg/kg 조다당 추출물 투여군(CEP)으로 각각 5마리씩 나누었다.

추출물은 증류수를 이용해 제조하였으며, 8주간 매일 같은 시각에 100ul씩 경구투여하였다. 정상군을 제외한 HFD군과 추출물군은 항비만을 확인하기 위해 60% 지방 식이를 일반 고형사료를 대신하여 제공하였고 성분은 다음과 같다[Table 1]. 본 실험은 군산대학교 동물실험 윤리위원회의 승인을 받아 시행되었다고 한다.

[Table 2]. 실험동물의 체중은 매일 같은 시간에 측정하였다. 본 실험 또한 군산대학교 동물실험윤리위원회의 승인(2021-06)을 받아 시행되었다고 한다.

[Table 1] Composition of the experimental diet

Nutrients	Ingredients	Percent
Protein	Casein, Lactic, 30 Mesh	25.85%
Protein	Cystine, L	0.39%
Carbohydrate	Lodex 10	16.15%
Carbohydrate	Sucrose, Fine Granulated	9.41%
Fiber	Solka Floc, FCC200	6.46%
Fat	Lard	31.66%
Fat	Soybean Oil, USP	3.23%
Mineral mix	Sucrose, Potassium etc.	6.46%
Vitamin	Choline Bitartrate	0.26%
Vitamin mix	Sucrose, Vitamin E Acetate etc.	0.13%
Total		100%

[Table 2] The scheme of *in vivo* study

Group (n=5)	60% Fat feed	Oral Administration
Normal	-	-
HFD	+	-
CEW 200mg/kg	+	+
CEP 100mg/kg	+	+

[참고문헌: 군산대학교 대학원 학술논문]

6. 혈액 생화학 성상 수준

6-1. 혈액 생화학 성상

고지방식이로 유도된 비만 마우스의 혈액 생화학 성상을 확인하기 위해 마우스 모델의 혈액을 채취하여, 4℃, 7000rpm, 10분간 원심 분리하여 혈장을 분리하였다. 총 콜레스테롤 (total cholesterol, T-CHO), 중성지방(triglyceride,TG), 고밀도 지질단백질콜레스 테롤(high-densitylipoprotein-cholesterol,HDL-C),저밀도지질단백질 콜레스테롤(low-density lipoprotein-cholecterol, LDL-C), 크레아티닌(Creatinine), 혈액 요소 질소 (blood urea nitrogen, BUN)을 생화학 분석기 BA-400를 사용하여. mouse의 혈액 생화학 성상 수준을 분석하였다.

6-2. NO (nitric oxide) 생성량 평가

NO 생성량은 그룹 당 6마리의 마우스 혈청을 이용하여 측정하였으며, griess 시약을 사용하였다. 실험동물의 혈액을 채취한 후, 4℃, 7000rpm, 10분간 원심 분리하여 혈청을 얻었다. 혈청과 동량의 1x PBS (phosphatebuffered saline)를 분주한 뒤, griess 시약 1, 2를 첨가하여 빛을 차단하여 상온에서 10분간 반응 후 540nm에서 흡광도를 측정하였다.

6-3. 염증성 cytokine TNF-α, IL-1β, IL-4 생성량 측정

본 실험에선 실험동물의 간 조직을 적출하여 1x PBS 1 ㎖를 가한 뒤 파쇄하였으며 4℃, 7000 rpm, 10분간 원심 분리한 후 상등액을 취해 ELISA(enzyme linked immunosorbent assay) kit를 이용하여 측정하였다. 96wellplate에 정량한 샘플을 100ul 첨가 후 37℃, 5% CO2incubator에서 2h 배양한 뒤, 2차 항체 100ul를 첨가하여 37℃에서 1h 배양하였다.

이후 색발원 100ul 첨가 후 37℃에서 30분 배양하였으며, substrate 100ul를 첨가하여 상온에서 10분간 반응시켰다. Stop solution을 100ul 첨가하여 반응을종결시킨 뒤 micro plate reader를 이용해 450nm에서 흡광도를 측정하였다.

6-4. RT-PCR (reverse transcription-polymerase chain reaction)

해부하여 얻은 각 군별 간 조직을 이용하여 RiboEX를 이용하여 추출하였다. 추출한 RNA는 DEPC (diethyl pyrocarbonate) water에 녹여 사용하였다. RT-PCR은 DNA polymerase, buffer, dNTP, tracking dye가 포함된 RT-PCR kit를 사용하여 mRNA로부터 cDNA를 합성한 후, iNOS, CPT-1,HSL, FAS, LXR, SREBPα, ACL, ACC, PPARγ, UCP-1, FABP4, CEBPα, β-actin 유전자에 해당하는 primer를 사용하여 94℃30초,55~62℃30초, 72℃1분, 총 35 cycles 조건으로 PCR을 수행하다.

PCR product는 1.5%agarose gel 상에 전기영동 하여 확인하였으며, 정량적 비교를 위하여 β-actin을 대조군으로 사용하여 유전자 발현량을 표준화하였다[Table 3,4].

[Table 3] Sequences of primers used for river tissue RT-PCR

Gene	Forward/ Reverse	Sequence
iNOS	F	CCCTTCCGAAGTTTCTGGCAGCAGC
	R	GGCTGTCAGAGCCTCGTGGCTTTGG
CPT-1	F	AGGGCCACTGATGGTGAA
	R	GTGGTGAACGGAAAGGA
HSL	F	GATTTACGCACGATGACACAGT
	R	ACCTGCAAAGACATTAGACAGC
FAS	F	CGCACCGGCTACCAAGCCAA
	R	GCTTCCCGGGTTGCCCTGTC
LXR	F	CCGAAGATGCTGGGGAACGAG
	R	GCTCCTCCTCCTGTC GCTTCA
SREBP-1c	F	AGCTCAAAGACCTGGTGGTG
	R	TCATGCCCTCCATAGACACA

[Table 4] Sequences of primers used for river tissue RT-PCR

Gene	Forward/ Reverse	Sequence
ACL	F	CCAGTGAACAACAGACCTATGA
	R	AATGCGCCTCCAATGATG
ACC	F	TGACTGCCGAAACATCT
	R	GCCTCTTCCTGACAAACGA
PPARγ	F	CCCTGGCAAAGCATTTGTA
	R	GAAACTGGCACCCTTGAAAA
UCP-1	F	TAATGAAGGAGGCCCTTGTG
	R	AGAACCGTTGTGCAGAATCC
FABP4	F	CATGATCATCAGCGTAAATG
	R	ACGCCTTTCATAACACATTC
CEBPα	F	TCGGTGCGTCTAAGATGAGG
	R	TCAAGGCACATTTTTGCTCC
β-actin	F	TGGAATCCTGTGGCATCCATGAAAC
	R	TAAAACGCAGCTCAGTAACAGTCCG

7. 통계 처리

실험결과는 평균 ± 표준편차(mean ± SD)로 표시하였으며, 통계적 유의차는 일원분산분석 (analysis of variance, ANOVA)을 사용하여 $p < 0.05$일 때 유의성이 있는 것으로 판단하였다.

◉ 결과 및 고찰

1. 추출물의 아미노산 성분 분석

토란 물 추출물 및 토란 조다당 추출물의 아미노산 성분을 amino acidanalyzer를 이용하여 분석한결과 18종의 아미노산을 함유하고 있으며, 이중 aspartic acid가 각각 53.21μg/ml 48.32μg/ml로 다량 함유되어 있고, cystein이 49.52μg/ml, 38.62μg/ml 함유되어 있었다. 이중 시스테인은 N-Acetyl Cysteine으로 변하여 강력한 항산화 글루타티온을 만들고 지방세포의 염증을 줄임으로써 항비만의 효과가 있을 것으로 사료된다[Figure1-2], [Table 5-6].

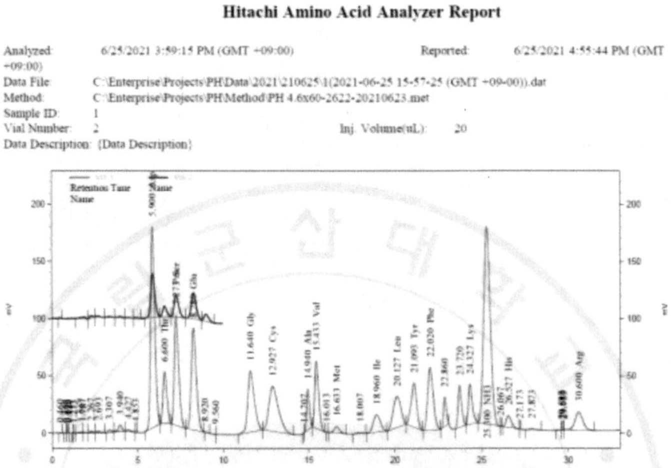

Figure 1. Contents of amino acids in the *Colocasia esculenta* water extract.

Bars in the graph indicate intensity(mv). Asp, aspartic acid; Thr, threonine; ; Ser, serine; ; Glu, glutamate; Gly, glycine; Gly, glycine; Cys, Cystein; Ala, alanine; Val, valine; Met, Methionine; Ile, isoleucine; Leu, leucine; Tyr, tryptophan; Phe, phenylalanine; Lys, lysine.

[Table 5] Amino acid content of *Colocasia esculenta* water extract using the amino acid analyzer

			VIS 1 Results			
Pk #	RT	Name	Height	Area	Conc1 (umol/mL)	Conc2 (ug/mL)
15	5.900	Asp	700013	11871658	0.400	53.209
16	6.600	Thr	179615	2909047	0.101	12.030
17	7.273	Ser	383496	6867379	0.232	24.436
18	8.280	Glu	355445	7250522	0.233	34.274
21	11.640	Gly	212398	5651275	0.178	13.374
22	12.927	Cys	156039	5883215	0.206	49.519
24	14.940	Ala	141699	1592691	0.048	4.298
25	15.433	Val	233689	3713500	0.128	14.973
27	16.633	Met	22528	492869	0.014	2.041
29	18.960	Ile	60997	1732080	0.056	7.331
30	20.127	Leu	107440	3313527	0.135	17.666
31	21.093	Tyr	152754	3419014	0.134	24.297
32	22.020	Phe	216622	4883616	0.142	23.407
35	24.327	Lys	139003	2190169	0.058	8.419
36	25.300	NH3	689545	18219871	0.847	14.420
38	26.527	His	41092	838025	0.023	3.635
44	30.600	Arg	62807	1971758	0.061	10.546
Total			3855182	82800216	2.995	
			VIS 1 Results			
Pk #	RT	Name	Height	Area	Conc1 (umol/mL)	Conc2 (ug/mL)
11	7.267	Pro	78926	1423328	0.230	26.447
Total			78926	1423328	0.230	

◉ 결론

위 참고문헌 연구는 천연물인 토란을 이용하여 토란 물 추출물과 토란 조다당 추출물의 항비만 개선 효과를 확인하고자 하였다. 추출물의 항비만 활성을 확인하기 위해 방혈 한 후 얻은 간을 파쇄하였고, 얻은 mouse의 간 조직을 이용해 RT-PCR 을 수행하고 단백질을 정량하여 ELISA 를 통해 항비만 활성을 평가하였다.

먼저 아미노산 분석을 통해 토란 물 추출물과 조다당의 구성 성분을 확인하였고, 그 결과 비만을 유도하는 최종당화산물인 AGEs 를 억제하는 아스파르트산이 다량 함유되어 있었고, 항비만에 효과가 있는 성분을 확인 하였다.

추출물에 대한 활성을 평가하기 위해 DPPH radical 과 ABTS의 소거능을 측정한 결과 DPPH CEW. CEP 모두 0.9mg/ml를 최고 농도로 증가하는 경향을 보였다. ABTS 또한 DPPH와 같이 농도 의존적으로 증가하였고 CEW가 0.9mg/ml 농도에서 38.16% ± 0.66으로 가장 높은 수치를 나타내었다.

이는 CEW와 CEP가 항산화 활성을 통해 염증 작용을 완화하고 이를 통해 생기는 비만을 억제할 수 있을 것이라 사료된다. 고지방식을 급여하여 비만을 유도한 후 CEW와 CEP를 투여하여 항비만 억제 효과를 연구하였다. 정상군과 비교하였을 때 HFD를 급여한 모든 군에서 체중 증가와 장기 무게증가를 관찰할 수 있었다.

마우스 모델들에서 각각 혈청을 취하여 생화학분석기를 이용하여 HDL, LDL, Cholesterol, triglyceride, creatinine 그리고 BUN 을 각각 측정한 결과 LDL은 HFD군에 비해 낮은 생화학적 지질 성상을 나타내었지만 HFD군과 정상군 간의 큰 차이는 나타내지 않았다. HDL은 정상군과 유사한 수치의 생화학적 지질 성상을 나타내었다. 특히, cholesterol이 HFD와 대조하였을 때 월등히 낮아지는 경향을 보였고, 정상군보다 감소한 경향을 나타내었다. 또한, 크레아티닌 수치는 HFD군과 비교했을 때, 유의한 차이를 보이지 못했지만, triglyceride와 BUN 수치는 감소하고 정상군과 비슷한 지질 성상을 나타내는 것을 확인하였다.

생화학분석기를 통한 생화학적 지질 성상 수준의 감소와 항비만 효능을 확인하고 염증과의 연관을 확인하기 위해 비만 마우스 모델을 이용하여 항염증 활성인 NO 측정과 마우스 모델의 간조직을 파쇄하고 ELISA를 이용하여 염증성 cytokine 중 TNF-α, IL-1β 및 IL-4의 발현을 확인하였다.

NO 생성량을 측정한 결과 HFD군에 비하여 낮아지는 경향을 보였고 정상군의 생성량에 비슷한 값을 나타내었으며, 이는 추출물이 NO 생성 억제 효능이 있음이라고 사료된다. ELISA 실험을 통한 추출물의 TNF-α, IL-1β 및 IL-4의 생성 억제능을 측정한 결과 모든 cytokine의 생성량이 정상군에 비해 증가하는 효과를 나타내었지만 HFD군에 비해서 감소하는 효과를 나타내었다.

이는 비만이 유발되면 체내의 염증이 동반되는 것을 확인하였고, 이러한 결과를 통해 고지방식이를 급여하여 비만을 유도한 마우스 모델에서 추출물이 항염증 효과를 나타내었다, 또한 토란 물 추출물과 조다당이 염증성 사이토카인을 억제하는 효과가 있음을 확인할 수 있었다.

이러한 결과를 바탕으로 고지방식이 급여로 인한 체중 증가 및 장기 무게증가가 염증수치의 증가를 일으키는 것을 확인하고, CEW, CEP의 투여로 염증을 억제하는 결과를 확인하였다, RT-PCR 실험을 통해 염증성 사이토카인인 iNOS를 확인하였을 때 정상군과 유사한 수치까지 감소한 것을 확인하였고 CEW 및 CEP의 지방관련 사이토카인 발현량 비교를 확인하여 고지방 식이 군과 비교하였을 때 항비만 활성을 나타내는 것을 확인할 수 있었다.

결과적으로 토란 물 추출물과 토란 조다당 추출물의 상대적인 비교는 어려웠으나 토란이 비만을 조절하는 인자들에 영향을 주고 있으며, 염증반응과의 연관성으로 인해 인체에 유익함을 준다는 것을 확인하였다고 한다.

토란의 효능 및 부작용

1. 토란에 함유되어 있는 멜라토닌 성분은 천연 수면제라 불리우고 있으며, 숙면을 할수 있게 해줘 불면증의 개선에 도움을 줍니다.

2. 토란에 함유되어 있는 풍부한 식이섬유로 인해 배변 활동을 촉진해줘 변비의 예방과 함께 대장암의 예방에도 도움을 줍니다.

3. 토란에 함유되어 있는 뮤신 성분은 끈적 거리는 점액질로 이루어져 있으며, 위의 점막들을 보호 해주고 위의 손상을 막아주는데 도움을 줍니다.

4. 토란에 함유되어 있는 비타민 A, 비타민 C, 비타민 E, 아연, 니아신 성분이 신체의 면역 체계를 강화 시켜주고, 면역에 관여하는 세포들의 원활한 활동을 촉진시켜 주는데 도움을 줍니다.

5. 토란에 함유되어 있는 퀴아세틴, 피토테인 성분이 항염증 효과를 일으켜 염증의 반응을 완화 및 억제 시켜줘 관절염 및 류마티스 같은 염증성 질환을 억제 하는데 도움을 줍니다.

6. 토란에 함유되어 있는 칼슘, 인, 마그네슘 성분이 뼈 조직의 형성과 강화에 필수 영양소로서 골다공증과 같은 뼈의 질환을 예방 하는데 도움을 줍니다.

7. 토란에 함유되어 있는 다량의 칼륨, 갈락탄, 뮤틴 성분이 혈액 내의 나트륨 농도를 조절해 주고, 혈관 내의 콜레스테롤 수치를 낮춰주면서 혈압 또한 낮춰줘 고혈압을 예방 하는데 도움을 줍니다.

8. 토란에 함유되어 있는 단백질, 비타민 B1, 비타민 B2 성분이 신체의 신진대사를 촉진시켜줘 에너지의 생성을 도와 피로를 해소해 주는데 도움을 줍니다.

9. 토란에 함유되어 있는 풍부한 단백질과 수분, 식이섬유가 섭취시 포만감을 줘 음식 섭취량을 줄일 수 있고, 체중을 조절하는데 도움을 줘 다이어트를 하시는 분들에게 큰 도움을 줍니다.

10. 토란에 함유되어 있는 카테킨, 폴라코이닐 성분이 암의 발생을 억제시켜주고, 암세포를 줄여 주는데 도움을 줍니다.

11. 토란에 함유되어 있는 비타민 A 성분이 피부의 조직 형성과 유지를 돕고, 비타민 C 성분이 콜라겐의 생산을 촉진시켜 탄력 있는 피부와 촉촉한 피부를 유지하게 해줘 피부의 노화 예방에 도움을 줍니다.

12. 토란에 함유되어 있는 풍부한 비타민 A 성분이 망막에 필요한 광센서 세포의 시각 염료를 형성해 주고, 유지해 줘 시력 유지와 눈의 건강함을 유지하는데 도움을 줍니다.

■ 토란부작용 및 주의사항

토란은 찬 성질을 지니고 있어, 몸이 차신 분들이 과다 섭취 하실 경우 설사를 유발할 수 있으니, 소량 섭취 하시는 것이 좋습니다. 토란에는 독성이 있어 생으로 섭취 하시면 안됩니다. 토란 조리시 5분이상 삶아서 찬물에 담궈 주시면 위해 성분이 제거되니 꼭 지켜 주셔야 합니다. 토란은 산에 약한 성질이 있어 조리전 식초에 담궈 독성 성분을 제거 할수도 있습니다.

토란에 함유되어 있는 수산 성분으로 인해 맨손으로 만지실 경우 간지러움 증상이 일어날 수 있으니, 꼭 장갑을 끼신후 토란을 손질해 주셔야 합니다. 토란에 함유되어 있는 카세인이라는 단백질 성분이 소화 문제 및 피부발진 등의 알레르기 반응을 일으킬 수 있습니다. 만약 증상이 보이신다면 알레르기 반응 검사와 의사와 상담을 진행 하셔야 합니다. 토란은 항응고제, 혈당조절제, 항우울제 등과 같은 약물과 상호작용을 일으킬 수 있으므로, 약물을 복용중이시라면 섭취전 담당의료진과 꼭 상담을 진행하셔야 합니다.

◼ **토란보관방법**

토란을 흙이 묻은 상태 그대로 물이 젖은 신분지에 싸서 10~15도 정도의 서늘한 곳에 보관 하시면 됩니다. 토란을 그대로 냉장 보관하시면 냉해를 입을 수 있기에 상온에 보관 하시는것이 좋으며, 토란을 조리하셨다면 냉장 보관 하셔도 됩니다.

토란을 잘 세척한후 키친타월 등을 이용해 물기를 잘 제거한 후, 적절한 크기로 자른 후 밀폐용기에 넣어 냉동 보관해 주시면 오랜 기간 보관 하실 수 있습니다.

◼ **토란먹는방법**

토란의 표피를 제거하고, 깨끗이 세척 한 후 국, 찌게를 끓일 시 함께 첨가하여 섭취 하시면 좋습니다.

토란을 잘게 다져 전골을 끓이실때가 함께 첨가하여 섭취 하시면 좋습니다. 토란과 다시마를 함께 조리 하게 되면, 토란의 떫은 맛을 중화 시켜 줌으로써 토란의 감칠나는 맛을 더해 줄수 있습니다.

팥의 특성

팥이란?

팥은 동북아시아가 원산지로 오랜 재배 역사를 가지고 있으며 중국, 한국, 일본에서 전 세계 생산량의 대부분을 생산하고 있고 미국, 호주 등지에서도 일부 재배되고 있다. 팥은 예로부터 많은 요리에 첨가물로 애용됐다. 팥고물과 팥소는 떡, 전통 과자, 빵 등에 사용되고 있고 일본에서는 밤, 칡과 함께 단맛을 내는 3대 식재료로 쓰이고 있다.

일반적으로 팥에 설탕을 첨가하여 팥빙수나 팥빵 등의 재료로 사용하기 때문에 팥을 매우 단 것으로 인식하기도 하는데, 실제로는 그리 단맛이 강하지 않다. 우리나라에서는 겨울 동짓날 팥죽을 쒀 먹거나, 떡, 빵의 앙금으로 사용하기도하고 여름에는 팥빙수를 만들어 사계절 내내 팥을 애용하고 있다.우리나라 팥의 주요 품종으로는 껍질 색이 붉은 '충주팥', 밝은붉은색의 '새길팥', 짙고 어두운 붉은색인 '아라리', 검은색인 '검구슬', 연한 녹색의 '연두채', 껍질이 얇고 색상이 흰 '거피팥'등이 있다.

◈ 팥의 영양 및 효능

팥의 주성분은 탄수화물(68.4%)과 단백질(19.3%)이며 각종 무기질, 비타민과 사포닌을 함유하고 있다. 팥에 들어있는 사포닌은 이뇨작용을 하고, 피부와 모공의 오염물질을 없애주어 아토피 피부염과 기미 제거에 도움을 주기 때문에 예로부터 세안과 미용에 이용되어 왔다. 또한 팥에는 비타민 B군이 풍부하여 탄수화물의 소화 흡수 및 피로감 개선, 기억력 감소 예방에 도움을 준다. 팥은 쌀의 10배, 바나나의 4배 이상의 칼륨을 함유하고 있는데, 짠음식을 먹을 때 섭취되는 나트륨이 체외로 잘 배출되도록 도와주어 부기를 빼주고, 혈압 상승을 억제해준다. 붉은 팥에는 안토시아닌이 풍부하여 체내 유해 활성산소를 제거하며, 곡류에 부족한 라이신과 트립토판이 함유되어있어 곡류에 팥을 넣어 먹으면 영양학적으로 보완이 된다. 팥을 끓인 물은 지방간과 간의 해독작용에 좋지만, 장기간 복용할 경우 기력이 약해질 수 있으므로 주의해야 한다.

◆ 팥 고르는 법

붉은색이 선명하고 껍질이 얇으면서 손상된 낱알이 없는 팥을 고른다. 국산 팥은 낱알의 크기가 고르지 않고, 흰색 띠가 뚜렷하다. 반면에 수입 팥은 낱알의 크기가 작고 고르며 흰색 띠가 짧고 뚜렷하지 않으니 꼼꼼히 비교해보고 사는 것이 좋다.

◆ 팥 손질법

팥을 깨끗하게 씻은 뒤 물에 불려서 용도에 맞게 사용한다. 팥의 껍질은 단단해서 12시간 이상 불린 후 삶아야 부드러운데, 조금 으깨서 물에 불리면 불리는 시간을 단축할 수 있다.

팥의 사포닌은 특유의 씁쓸한 맛이 있어서 팥을 처음 삶은 물은 따라 버려 사포닌 성분을 일부 제거한 뒤 사용하는 것이 좋다. 특히 위장이 약한 경우에는 이렇게 먹어야 배탈이 나지 않으니 유의한다. 손질한 팥은 다양한 곡류와 함께 이용하는 것이 좋은데 팥밥, 팥 칼국수, 팥빵 등은 탄수화물이 풍부한 곡류와 곡류의 당질 대사에 꼭 필요한 비타민 B1이 풍부한 팥이 어우러지고 아미노산을 보충해주므로 영양학적으로 바람직하다. 또한 팥죽 속의 새알심, 팥이 든 찹쌀떡과 같이 팥을 찹쌀과 함께 이용할 경우 찬 성질의 팥은 기운을 아래로 끌어내리고 소변을 밖으로 내 보내주며 따뜻한 성질의 찹쌀이 위와 장을 따뜻하게 만들고 소변이 지나치게 많이 나가는 것을 막아주어 상호보완의 역할을 할 수 있다.

◆ **팥 보관방법**

팥에는 영양이 풍부해 벌레가 쉽게 생길 수 있기 때문에 수분이 거의 없는 상태로 보관하는 것이 중요하다. 따라서 보관하기 전에 신문지 위에 팥을 깔아두고 햇빛이 잘 드는 곳에서 바짝 말려두면 좋다. 이렇게 말려준 팥은 습기가 없고 통풍이 잘 되는 서늘한 곳에 보관해주는데, 여름철에는 밀폐 용기에 담아 냉장고에 보관하는 것이 좋다.

팥을 불리는 시간이 오래 걸려 사용하기가 번거로울 때는, 한꺼번에 팥을 불린 다음 삶아두어 필요한 양만큼 포장해서 냉동실에 보관하면 필요할 때마다 꺼내어 편리하게 사용할 수 있다.

구분	내용
외국어 표기	Red Bean
분류	두류
원산지	동북아시아
주요 생산지	전남 나주,장흥 / 경북 경주 강원 횡성, 홍천 등
특징	팥은 오랜 재배역사를 가지고 있으며, 동짓날 팥죽을 쒀 먹거나 떡, 빵의 앙금으로 사용하고 팥빙수를 만드는 등 사계절 내내 애용하는 식재료이다.
종류 (구분,품종)	충주팥, 새길팥, 아라리, 검구슬, 연두채, 거피팥 등
효능	팥에 들어있는 사포닌은 이뇨작용을 하고, 피부와 모공의 오염물질을 없애주어 아토피 피부염과 기미 제거에 도움을 준다. 또한 칼륨이 풍부하게 함유되어있어 부기를 빼주고 혈압 상승을 억제해주는 효능이 있다.
열량	100g당 356 kcal (붉은 팥, 마른 것), 200kcal (붉은 팥, 삶은 것)
음식궁합	곡류에 부족한 라이신과 트립토판이 함유되어있어 곡류에 팥을 넣어 먹으면 영양학적으로 보완이 된다.
활용	팥고물과 팥소를 만들어 떡, 빵을 만드는 데 사용되고, 죽을 쒀 먹거나 밥에 넣어 먹는다.
고르는법	붉은색이 선명하고 껍질이 얇으면서 손상된 낱알이 없는 팥을 고른다.
손질법	깨끗하게 씻은 뒤 물에 충분히 불려 용도에 맞게 사용한다.
보관법	습기가 없고 통풍이 잘 되는 서늘한 곳에 보관해준다. 여름철에는 밀폐 용기에 담아 냉장고에 보관하는 것이 좋다.

C 품종에 따른 팥 앙금의 품질특성

팥은 우리나라에서 콩 다음으로 중요한 두류작물로 콩에 비해 수량은 낮으나, 기후 및 토양에 적응성이 양호하여 작부체계에 유용하게 이용될 수 있으며, 생태형, 초형, 개화일수, 엽형 및 종피색 등에 의해 분류된다. 콩 다음으로 수요가 많은 팥은 단백질과 지방질 함량이 낮고 탄수화물이 높은 두류로 구성성분의 대부분은 전분으로 이루어져 있으며, 보통 밥밑용으로 이용되며, 팥죽이나 떡, 빵, 과자 등의 속 재료뿐만 아니라 앙금과 양갱, 빙과제조용으로도 많이 이용되고 있다. 팥은 비타민 B1이 풍부하여 쌀에 혼반할 경우

쌀밥에 부족하기 쉬운 비타민을 공급하여 주며, 각기병뿐만 아니라 피로회복에도 효과가 있다. 단백질의 대부분은 글리시닌이고 발린을 제외한 필수아미노산이 풍부하며, 특히 쌀의 제한아미노산인 라이신 함량이 높아 혼식하면 아미노산 보족효과로 단백질의 질을 향상시켜 준다. 팥 단백질에 대한 연구로는 팥 단백질을 분리하여 유화특성을 보고한 연구와 글로불린의 유동특성 및 열적특성 등에 대한 연구가 보고되어 있다.

팥 껍질의 색소는 anthocyanin계의cyanidin으로 알려져 있으며, 팥의 수화속도에 대한 연구, 국산과 중국산 팥전분의 이화학적 특성에 대한 연구 등이 있다.두류의 앙금에 대한 연구로는 강낭콩 앙금 혼합율에 따른 양갱의 기계적· 관능적 특성에 관한 연구와 품종에 따른 강낭콩 앙금의 이화학적 특성을 보고 한 연구 등 대부분이 강낭콩의 앙금에 대한 연구가 대부분으로 앙금으로 가장 많이 사용하고 있는 팥에 대해 품종별로 앙금의 특성에 대한 연구는 찾아보기힘든 실정이다. 따라서 본 연구에서는 국내에 현재까지 개발된 팥의 이용성 증진을 위해 다양한 종피색의 우수한 팥 품종과 유망한 품종에 대해 앙금을 제조하여 품질특성을 비교·분석한 참고문헌을 통해 보다 전문적인 시각에서 팥에 대해 깊이 있게 파악해보도록 하고자 그 연구내용은 참조하였다.
(참고문헌 : 학국식품영양과학회지/농촌진흥청 국립식량과학원 기능성 작물부)

◈ 시험재료 및 원료특성 분석
팥 앙금에 대하여 전문적인 연구내용을 통해 현장의 제과제빵업에 종사하는 많은 이들이 현장에서 사용하는 팥 앙금을 보다 상황에 맞게 사용하고 제품을 만들 수 있도록 도움이 되었으면 한다. 참고문헌 연구에 사용된 팥 품종은 현재까지 품종으로 등록되어 있는 팥 품종을 사용하였으며, 국립식량과학원 기능성작물부에서 2010년 생산된 충주팥, 중부팥, 경원팥, 새길팥, 중원팥,칠보팥, 연금팥, 금실팥 및 홍언팥 등 9품종과 유망계통인 밀양8호 등 총 10종을 사용하였다. 충주팥, 중부팥, 경원팥, 새길팥, 홍언팥 및 밀양8호의 종피색은 붉은색이며, 중원팥은 회색, 칠보팥은 검정색, 연금팥은 연녹색, 금실팥은 노란색의 종피색을 띤다. 팥의 종류별 특징의 경우, 아래의 연구결과 이후 품종에 따른 팥의 특징을 서술하여 이해하기 쉽도록 기재하겠다. 다시 연구내용으로 돌아가서 시료의 수분함량은 105℃ 상압가열건조법으로 측정하였으며, 단백질함량은 Kjeldahl 질소정량법을 이용하여 정량하였고 회분함량은 550℃ 직접회화법으로 측정하였고 무기성분의 함량은 550℃에서 회화한 후 0.5 N 질산을 가하여 가온해서 녹이고 GF/C여과지로 여과한 다음 정용하여 ICP로 분석하였다.

◆ **품종별 팥 앙금 제조 및 수율 측정**

품종별 팥 앙금의 제조는 각각의 시료 50g에 증류수 500mL을 가하여 30℃배양기에서 24시간 침지한 후 2시간 동안 가열하여 체를 이용하여 으깨어 앙금과 박을 분리하고 박의 무게를 측정한 후 앙금액은 4℃ 냉장 고에서 하루 동안 방치하고, 이를 면포를 이용하여 거른 후 여액을 500 mL로 정용하여당도와 탁도를 분석하여 건조 전후 앙금의 무게를 측정하여 습물중 및 건물중수율을 측정하였으며, 건조는 앙금을 결하여 동결건조를 실시하였다고 한다. 수율을 측정한 시료는 곱게 분쇄하여 100mesh 체를 통과시킨 후 분 석용시료로 사용하였다고 참고문헌에는 표시되어 있다.

◈ 여액 및 제조된 앙금의 품질특성 조사

팥 앙금을 제조하고 나온 여액의 당도는 굴절당도계를 사용하여 당도를 측정하여 °Bx로 표시하였고 탁도는 Ryu 등 의 방법에 따라 UV-VIS Spectro photometer를 이용하여 600nm에서 투과도를 측정하였다. 제조된 팥 앙금의 색도는 색차계를 이용하여 명암도를 나타내는 L값(lightness), 적색도의 정도를 나타내는 a값(redness), 황색도의 정도를 나타내는 b값(yellowness) 으로나타내었으며, 이때 사용된 표준 백판의 L값은 96.88, a값은 -0.21, b값은 -0.28이었다. 제조된 앙금의 입도분석은 Particle Size Analyzer를 이용하여입자의 직경, 평균입자 직경 등을 분석하였고 품종별 팥 앙금의 전분구조는주사전자현미경을 이용하여 gold-palladium으로 진공상태에서 120초간 코팅 시킨 후 5kV에서 500배로 미세구조를 관찰하였다.

◈품종별 팥 앙금의 RVA 호화 점도 특성

품종별 팥 앙금의 호화점도 특성은 RVA를 이용하여 측정하였다. 시료 3g을 25 mL의 증류수에 분산시켜 처음 1분 동안 50oC까지 가열 후 분당 12℃로 가열하여 95℃까지 상승시키고 95℃에서 2.5분 동안 유지하였다. 또한 50℃까지 분당 12℃로 냉각하여 2분 동안 유지하면서 점도를 측정하였다. 품종별팥 앙금의 호화특성은 최고점도(peak viscosity), 최저점도(troughviscosity), 강하점도(breakdown viscosity), 최종점도(finalviscosity) 및 치반점도 (setback viscosity)를 측정하였다. 품종별 팥 앙금의 수분결합력, 용해도 밎팽윤력 측정 팥 앙금의 수분결합력은 Medcalf와 Gilles의 방법을 이용하여 측정하였다. 팥 앙금 1g을 증류수 40mL을 혼합하 여 1시간 교반하고 30분 동안 3,000 rpm으로 원심분리 하여 상등액을 제거한 다음 침전된 가루의 무게를 측정하여 침전된 앙금의 무게(g)에서 처음 앙금분말의 무게(g)를 빼고 처음 앙금분말 무게(g)에 대한 백분율로 계산하였다. 팥 앙금의 용해도와 팽윤력은 Schoch의 방법을 변형하여 측정하였다. 즉, 앙금분말 0.5g을 30 mL의 증류수에 분산시켜 90±1°C의 항온수조에 30분간 가열하고 3,000 rpm으로 20분간 원심분리한 후 상등액은 105oC에서 12시간 건조시켜 무게를 측정하고 침전물은 그대로 무게를 측정하였으며, 용해도와 팽윤력은 다음과 같이 계산하였다.

$$용해도(solubility, \%) = \frac{상등액을\ 건조한\ 고형물의\ 무게(g)}{처음\ 시료\ 무게(g)} \times 100$$

$$팽윤력(swelling\ power,\ g/g) = \frac{원심분리\ 후\ 무게(g) \times 100}{처음\ 시료\ 무게(g) \times (100 - 용해도)}$$

현재까지 국내에 개발된 팥의 이용성 증진을 위해 다양한 종피색의 팥 품종에 대해 앙금을 제조하여 품질 특성을 비교·분석하였다. 팥 품종별 수분함량은 8.2~11.1g/100g, 조단백질은 15.4~20.6g/100g, 조회분은 3.3~3.6 g/100g을 나타내었으며, 칼륨은 칠보팥(CB)과 홍언팥(HE)이 각각 875.1 및 873.1mg/100g 으로, 칼슘은 중부팥(JB)과 금실팥(KS)이 각각 73.6 및 73.2 mg/100 g으로, 마그네슘은 연금팥(YK)이 131.4 mg/100 g으로 높은 함량을 보였다. 앙금 수율은 습물중은 188.3~204.7%, 건물중은 62.1~66.0%의 범위로 유의적인 차이를 보이지 않았다.

앙금의 명도는 종피색이 밝은 연금팥(YK)과금실팥(KS)이 각각 67.0 및 68.0 으로 가장 높은 값을 보였으며, 종피색이 검정색인 칠보팥(CB)이 54.0으로 가장 어두운 것으로 나타났다. 적색도(a-value)와 황색도(b-value)는 연금팥 (YK)이 각각 6.6 및 12.8로 가장높은 값을 보였고 칠보팥(CB)이 각각 3.8 및 5.9로 가장 낮았다. 앙금의 평균 입자직경은 중원팥이 121.10μm로 가장 크게 나타났고 중부팥이 100.80μm로 가장 작은 값을 나타냈으며, 입도분포 는 전체적으로 유의적인 차이를 보이지 않았다.

앙금의 입자는 타원형의 모양을 가지고 있었으며, 세포막과 단백질이 둘러싸서 표면이 거칠게 나타났다. 품종별팥 앙금의 수분결합력 및 용해도는 유의적인 차이를 나타내지 않았다. 팥 앙금의 호화점도특성 중 최고점도, 최저점도, 최종점도 및 치반점도는 중부팥(JB)이 각각 3.79, 3.75, 7.33 및 3.54 RVU로 가장 높은 값을 나타났고 칠보팥(CB)이 1.21, 1.17, 2.46 및 1.25 RVU로 가장 낮게 나타났다. 이상의 결과를 볼 때 식품가공에서 팥 앙금의 선택은 관능적으로 색에 가장 많은 영향을 미치므로 생산하고자 하는 제품의 특성을 고려하여 팥 앙금을 사용하는 것이 바람직할 것으로 생각된다.

품종별 팥의 주요특성

1. 충주팥

충주팥은 1960년 충북 충주지방에서 수집된 재래종을 1961~1962년에 순계분리하여 '충주적두'라고 명명하여 유전자원으로 보존하던 것을 1980~1981년 2개년에 걸쳐 생산력검정시험에 공시한 결과, 양질대립 다수성으로 인정되어 1982~1984 3개년간 지역적응시험을 전국적으로 실시하였고 1984년에는 농가시범재배도 실시한 결과 전국적으로 다수성이 인정되어 1984년 주요농작물종자협의회에서 전국의 장려품종으로 결정됨과 동시에 '충주팥'으로 명명되었다.

1) 주요 특성

가. 고유특성

충주팥의 고유특성을 홍천적두와 비교하여 보면 충주팥은 경색이 녹색이고, 잎형은 원형이며, 꽃색은 황색이고, 성숙협색은 회백색이다. 또한 종피색은 적색이고 제색은 백색이며, 입형은 원통형이다.

나. 일반특성

충주팥은 홍천적두에 비하여 개화기가 2일, 성숙기가 4일이 늦으며, 경장은 비슷하였다. 개체당 협수는 홍천적두에 비하여 4.2개가 많았으나 협당립수는 0.9개가 적었으며, 100립중은 15.2 g 으로 중대립종이다.

다. 내병성 및 도복저항성

충주팥은 팥 모자이크바이러스 및 흰가루병에 대하여 중, 녹병에 대하여는 중강
정도의 저항성을 가지나 도복에는 비교적 약하다.

2) 수량성

충주팥은 1980~1981년 2개년간 수원에서 생산력검정시험을 실시한 결과 홍천적두에 비하여 92% 증수되었다. 한편 1982~1984년 3개년간 전국 11개소에서 지역적응시험을 실시한 결과 전국 9개소에서 홍천적두에 비하여 평균 10%가 증수되었다. 또한 전남 15개소에서 실시한 농가시범재배에서 홍천적두에 비하여 28% 증수되었다.

3) 적응지역 및 재배상의 유의점

충주팥은 적기(6월 중순)에 파종하면 고랭지를 제외한 전국 어디서나 재배가 가능하다. 일찍 파종하면 덩굴화하여 도복이 우려되므로 6월 중순경에 파종하는 것이 바람직하며, 생육초기(본엽2~7매)에 배토를 함으로서 결실기에 도복 이 되더라도 꼬투리가 지표면과 밀착되지 않아 꼬투리의 부패를 막을 수 있다.

또한 충주팥은 중만생종이므로 너무 늦게 파종하면 성숙되지 않아 첫서리의 피해를 받을 수 있고 수량도 크게 감소하므로 7월 중순이후 파종은 피한다. 종자전염에 의해서 발생된 팥모자이크바이러스 이병개체는 초생엽 전개기에 쉽게 발견되므로 이때 제거해 주어야 한다.

충주팥의 식물체 및 씨껍질색

2. 중부팥

중부팥은 양질 다수성 팥 품종육성을 목표로 1984년에 작물과학원에서 인공교배한 후대에서 우량 계통을 선발하여 1988~1989년 2개년에 걸쳐 생산력 검정시험과 특성검정시험을 실시한 후 그 우수성이 인정되어 1990~1992년 3개년간 지역적응시험을 전국적으로 실시하였고 1992년에는 농가실증시험을 실시한 결과 중부지방에서 적응성이 높은 품종으로 인정되어, 1993년 1월에 개최된 주요농작물종자협의회에서 중부지역인 경기, 강원, 충남북의 장려품종으로 결정됨과 동시에 '중부팥'으로 명명되었다.

1) 주요 특성

가. 고유특성

중부팥은 경색이 녹색이고, 초형은 중간형이며, 엽형은 원형이다. 또한 꽃색은 황색이고, 성숙협색은 회백색이며, 종피색은 적색이고, 제색은 백색이며, 입형은 원통형이다.

나. 일반특성

중부팥은 개화기가 충주팥에 비하여 3일 빠른 8월 11일이며, 성숙기가 충주팥에 비하여 2일 빠른 10월 9일로 중생종에 속한다. 경장은 충주팥에 비하여 15cm나 긴 73cm이며, 개체당 협수는 충주팥에 비하여 7개가 많은 21개이고, 협당립수는 충주팥에 비하여 0.6개가 많은 7.1개이며, 100립중은 충주팥에 비하여 3.0g이 가벼운 11.7 g으로 중립종이다.

다. 재해저항성

중부팥은 흰가루병과 습해에는 약간 강하며, 팥모자이크바이러스, 갈색점 무늬병과 도복에는 중정도이나, 팥바구미에는 저항성이 약하다.

2) 수량성

중부팥은 1988년에 실시한 생산력검정예비시험에서 충주팥에 비하여 11% 증수되었고, 1989년에 실시한 생산력검정본시험에서는 11%가 증수되었다. 1990년부터 1992년까지 3년간 전국 7개소에서 실시한 지역적응시험에서 중부 팥의 수량은 전국 평균으로는 충주팥과 같았으나, 중부지역인 수원, 춘천, 청주 등 3개소에서는 평균적으로 9%의 증수를 보여 중부지역 적응성이 높은 품종 으로 밝혀졌다. 1992년에 강원 횡성과 충북 중원 등에서 실시한 농가 실증시험 에서 중부팥은 충주팥에 비하여 강원 횡성에서는 8% 증수되었고, 충북 중원 에서는 10% 증수되어 평균적으로 9% 증수되었다.

3) 적응지역 및 재배상의 유의점

중부팥의 적응지역은 경기, 강원, 충남북 등 중부지역이다. 중부팥의 파종적기 는 6월 중 · 하순이므로 너무 일찍 또는 너무 늦지 않게 파종하여야 한다. 또한 너무 밀식하면 도복되기 쉬우므로 적당하게 재식밀도를 유지하여야 한다.

3. 경원팥

양질 내도복 조숙 팥 육성을 위하여 작물과학원에서 1992년에 조숙 내도복 성인 다곡조생을 모본으로 양질 중대립인 SA8413-2를 부본으로 하여 인공 교배를 실시하고 SA9206 조합번호를 부여하여 계통육종법으로 세대를 진전 시킨 후 1998년에 SA9206-1-2-3-3-4를 선발하여 1999-2000년 2개년 간 생산력검정시험을 실시하였고 그 우수성이 인정되어 '수원40호'라는 계통 명으로 2000-2002년 3개년간 전국 3개소에서 지역적응시험을 수행한 결과 내도복성이면서 적색 중대립으로서 그 우수성이 인정되어 2002년 12월 직무 육성신품종 선정위원회에서 전국을 대상으로 한 신품종으로 결정되었으며 품종명을 '경원팥'으로 명명하였다.

1) 주요 특성

가. 고유특성

경원팥의 고유특성을 충주팥과 비교하여 보면 줄기색은 녹색이며 꽃색은 황색 이고 엽형은 광극형이다. 또한 성숙협색은 흑색이고 종피색은 적색이며 입형 은 원통형이다.

나. 일반특성

경원팥의 개화기는 8월 12일로 충주팥보다 6일 빠르고 성숙기는 9월 28일 로 충주팥보다 8일정도 빠르다. 경원의 경장은 59cm로 충주팥보다 14cm나 작고 도복에는 충주팥보다 다소 강하다. 개체당협수는 17개로 충주팥보다 많 으나 100립중은 13.4g으로 충주팥보다 다소 작은 중대립종에 속한다.

다. 품질특성

경원팥의 품질특성으로, 경원의 단백질함량은 충주팥보다 약간 높은 경향이었고 고탄수화물함량은 충주팥보다 다소 낮았으며 당함량은 충주팥보다 다소 높은 경향이었다. 또한 지방함량은 충주팥과 비슷하였고 회분함량은 충주팥보다 다소 낮았다. 종실경도는 충주팥보다 낮았으며 입형을 보면 종실의 길이, 넓이, 두께 모두 충주팥보다 작았다.

2) 수량성

경원팥은 1999~2000년, 2개년간 수원에서 수행한 생산력검정시험 결과 생산력검정예비시험에서 191kg/10a, 생산력검정본시험에서 83kg/10a로 평균 137kg/10a의 수량성을 보여 충주팥보다 26% 증수되었다. 한편 경원은 2000~2002년, 3개년간 전국 3개소에서 수행한 지역적응시험에서 141kg/10a의 수량을 보여 충주팥보다 7% 증수되었다.

3) 적응지역 및 재배상의 유의점

경원팥의 적응지역은 전국이다. 재배상의 유의점으로는 적기(6월 중,하순)에 파종하고, 밀식은 도복을 유발할 수 있으므로 적정 재식밀도를 유지하여야 한다. 또한 팥 모자이크 바이러스에 이병된 개체는 조기에 제거하여 주어야 한다.

4. 중원팥

중원팥은 1960년에 충북 중원군에서 수집된 재래 종 검정팥에서 순계분리 하여 '중원흑두'라고 불리던 것을 1980년에 생산력검정시험과 지역적응시험을 실시한 결과, 만파적응성이 높고 다수성으로 인정되어 1983년 12월에 개최 된 주요농작물종자협의회에서 전국의 준장 려품종으로 결정됨과 동시에 '중원팥' 으로 명명되었다.

1) 주요 특성

가. 고유특성

중원팥은 경색이 녹색이고, 엽형은 원엽형이며, 꽃 색은 황색이고, 성숙협색 은 회백색이다. 또한 종피색은 쥐색(백색바탕에 흑색무늬)이며, 제색은 백색 이고, 입형은 원통형이다.

나. 일반특성

중원팥은 개화기가 홍천적두에 비하여 4일 빠른 8 월 13일이며, 성숙기는 홍천적두에 비하여 1일 늦은 10월 7일로 중생종이다. 경장은 홍천적두에 비 하여 9cm나 긴 90cm이며, 개체당협수는 홍천적두에 비하여 2.3개가 많은 15.6개 이고, 협당립수는 홍천적두와 비슷한 6.2개이며 100립중은 홍천적두 에 비하여 1.9 g이 가벼운 12.2 g으로 중립종이다. 또한 조단백질 함량은 홍 천적두에 비하여 다소 높은 21.6%이고, 당분 함량은 홍천적두에 비하여 크 게 높은 5.8%이다.

다. 내병성 및 도복저항성

중원팥은 녹병에는 약간 강하고, 팥모자이크바이러 스와 흰가루병에는 중정도 의저항성을 가지나, 도복에는 약하다.

2) 수량성

1980년에 실시한 생산력검정본시험에서는 중원팥 의 수량은 홍천적두에 비하여 48% 증수되었다. 1981년부터 1983년까지 3년간 전국 11개소에서 실시한 지역적응시험에서 중원팥은 전국적으로는 충주팥에 비하여 평균 15% 가증수되어 광지역 적응성 품종으로 밝 혀졌다. 1983년에 충북 괴산과 충남 공주에서 실시한 농가실증시험에서 중원팥의 수량은 농가 재래종에 비하여 20% 증수 되었다. 한편, 1981년부터 1983년까지 3년간 수원에서 실시한 만파시험에서 중원팥은 홍천적두에 비하여 61%나 증수되었다 .

3) 적응지역 및 재배상의 유의점

중원팥은 적기(6월 중 · 하순)에 파종하는 경 우 전국 어디서나 재배될 수 있으며, 중북부 산간지를 제외하고는 만파(7월 중순 파종)도 가능하다. 중원 팥은 일찍 파종하면 줄기가 덩굴화되어 도복되기 쉬우므로 적기(6월 중 · 하순)에 파종하는 것이 좋으며 생육초기(본엽 2~7 매)에 배토를 함으로서 등숙기에 도복이 되더라도 지면에 닿지 않아 꼬투리의 부패를 방지할 수 있 다. 또한 종자전 염에 의하여 팥모자이크바이러스에 이병된 개체는 초생업 전 개기 에 쉽게 발견되므로 이때 제거해 주어야 한다.

5. 칠보팥

양질 다수성이며 종피색이 흑색인 팥 품종 육성을 목표로 1986년에 작물 과학원에서 조숙 다수성인 홍천적두를 모본으로, 흑색종피인 KLA84102를 부본으로 하여 인공교배한 후대에서 SA8631-B-3-1-1을 선발하여 1992~1993년 2개년에 걸쳐 생산력검정시험, 1994~1996 3개년간 지역적응시험을 전국적으로 실시하였고 1996년에는 농가실증시험을 실시한 결과, 양질 흑색 대립으로 전국 적응 품종으로 인정되어, 1996년 주요농작물종자협의회에서 신규장려품종으로 결정되었으며 '칠보팥'으로 명명되었다.

1) 주요 특성

가. 고유특성

칠보팥은 경색이 녹색이고, 초형은 중간형이며, 엽형은 원형이다. 또한 꽃색은 황색이고, 성숙협색은 회백색이며, 종피색은 흑색이고, 제색은 백색이며, 입형은 원통형이다.

나. 일반특성

칠보팥은 개화기가 충주팥에 비하여 2일 늦은 8월 19일이며, 성숙기가 충주팥에 비하여 2일 빠른 9월 30일로 중생종에 속한다. 경장은 충주팥에 비하여 3cm나 긴 74cm이며, 개체당 협수는 충주팥에 비하여 2개가 적으며, 협당립수는 충주팥에 비하여 0.5개가 많은 6.9개이며, 100립중은 충주팥에 비하여 0.4g이 무거운 16.4 g으로 대립종이다.

다. 재해저항성

칠보팥은 흰가루병에는 약간 강하며, 팥모자이크바이러스, 갈색점무늬병과 도복 에는 중정도이나, 팥바구미에는 저항성이 약하다.

2) 품질

칠보팥은 종실의 균일도는 충주팥보다 균일하며, 유리당 중 슈크로스 함량이 충주팥보다 높고, 조단백질 함량은 충주팥과 비슷하다. 삶은 후 씨앗껍질의 두께도 충주팥과 비슷하며, 딱딱한 정도는 충주팥보다 낮아 부드럽게 씹히는 특성을 갖고 있다. 앙금수율은 충주팥보다 낮으나 중원팥보다 높다.

3) 수량성

1992년에 실시한 생산력검정예비시험에서 10a당 칠보팥의 수량은 충주팥에 비하여 약간 많은 121kg이었으며, 1993년의 생산력검정본시험에서는 충주팥에 비하여 약간 적은 167kg이었다.

1994년부터 1996년까지 3년간 전국 6개소에서 실시한 지역적응시험에서 칠보팥의 수량은 전국평균 166kg으로서 충주팥보다 약간 낮았으나 중북부 지역에서는 충주팥과 대등하였다. 1996년에 충북 충주에서 실시한 농가실증시험에서의 칠보팥의 수량은 충주팥 보다 10% 많은 10a당 178kg이었다.

4) 적응지역 및 재배상의 유의점

칠보팥의 적응지역은 전국이나 남부지방보다는 중북부 지역에서의 적응성이 높다. 칠보팥은 일찍 파종하면 만화하여 도복이 우려되므로 6월 중순경에 파종하는 것이 좋으며, 7월 초순까지는 파종이 완료되어야 한다.

팥모자이크 바이러스에 이병된 개체는 조기에 제거하여 주어야 한다.

6. 연금팥

연금팥은 조숙 녹색 소립인 자자소두를 모본으로 하고 재래수집종인 IT120990을 부본으로 1994년도에 인공교배하여 '95년 F1을 양성하고, '96-'00년도에 포장과 온실에서 F2 - F6 세대를 계통육종법으로 선발한 SA9432-2B-30-1-2-1 계통이다. 2001-2002년도에 실시한 생산력검정시험에서는 특성이 우수하고 조숙 소립 다수성으로 유망시되어 수원46호의 계통명을 부여한 후, 2003-'05 3개년간 지역적응시험을 실시한 결과, 연녹 내재해 소립 다수성 품종으로 인정되어 2005년 12월 농작물 직무육성 신품종 선정위원회에서 전국에 재배 가능한 신규등록품종으로 결정하고 "연금"로 명명하였다.

1) 주요특성

가. 고유특성

연금의 배축은 녹색이고 꽃은 황색이며 잎은 심장형이고 협은 황색이며, 종피는 연녹색이고 종자모양은 원통형이다.

품종	배축색	꽃색	엽형	협색	종피색	종자모양
연금팥	녹색	황색	심장형	황색	연녹색	원통형

나. 가변특성

연금의 개화기는 충주팥보다 6일 빠르고, 성숙기는 2일 정도 빠름 경장은 63cm로 충주팥보다 다소 작고 협수는 다소 많으며, 도복은 충주팥 보다 강하였고, 100립중은 12.0g으로 충주팥보다 작은 소립종이다.

품종	개화기	성숙기	경장	협수	100립중	도복
연금팥	8월 10일	10월 4일	63cm	21개	12g	3.0

다. 병해저항성

바이러스, 흰가루병 및 갈반병에는 충주팥과 비슷하였다.

품종	바이러스	흰가루병	갈반병
연금팥	0.9	0.5	1.2
충주팥	1.0	0.5	1.2

마. 품질특성

조단백 및 조지방 함량이 낮고 삶은 후 통팥색차는 충주팥보다 황색값이 높은 밝은색임

품종	조단백(%)	조지방(%)	탄수화물(%)	삶은 후 통팥 색차			통팥수율(%)
				L	a	b	
연금팥	22.8	0.27	50.9	27.3	6.1	6.0	273
충주팥	23.5	0.28	48.9	20.3	6.7	3.0	317

2) 수량성

가. 생산력검정시험

2개년간('01 ~ '02) 실시한 생산력검정시험 결과 10a당 평균수량은 153kg 으로 표준품종인 충주팥에 비하여 10% 증수하였다

나. 지역적응시험

3개년간('03 ~ '05) 실시한 지역적응시험 결과 10a당 평균 수량은 190kg 으로서 표준품종 충주팥에 비해 10% 증수하였다.

3) 적응지역 및 재배상의 유의점

적응지역은 전국의 팥 주재배 지역이며, 재배상의 유의점은 적기파종(6월 중하순) 및 적정재식 밀도 유지를 유지하는 것이다.

7. 금실팥

1) 주요특성

교배조합 : 충주팥/전남재래3호//IT102990(예천수집) 황갈색 종피로서 광택이 있음. 조숙, 소립종으로 성숙기가 빠름, 중단간 내도복성

용도 : 통팥 및 앙금제조 겸용

2) 적응지역 : 강원도 산간지역을 제외한 전국

3) 재배상 유의점

파종적기는 중부지대 6월 상·중순, 남부지대는 6월 하순-7월 상순이며, 이보다 일찍 파종하게 되면 줄기가 덩굴화 되어 포장도복 발생

4) 품종특성

중간신육형이고 배축은 녹색이며 꽃은 황색임, 잎은 광극형으로 크고 줄기는 녹색이며 협은 황색임, 종자는 황갈색이며 제색은 백색임.

5) 내재해 및 병해충 저항성

포장시험에서 내도복성은 충주팥보다 강하고, 내병성은 비슷함.

6) 품질특성

조단백질 함량은 충주팥과 비슷하나 회분함량 및 항고혈압활성이 높음.

금실팥의 식물체 및 씨껍질색

8. 홍언팥

적색대립종인 충주팥과 전남재래3호의 F1을 모본으로하고 재래수집종인 IT189391을 부분으로 교배하여 육성된 품종으로 2010년 강원도 산간고랭지를 제외한 전국지역에 적응하는 신규등록품종으로 결정되었다. 씨껍질색은 적색이고 100알 무게는 11.2g으로 충주팥보다 다소 적은 중립종으로 성숙기는 충주팥보다 16일 정도 빠르다.

[홍언팥과 충주팥 식물체 비교]

9. 아라리

아라리는 1999년에 SA9411-1-1-2를 모본으로 하고 수원38호를 부본으로 인공교배하여 육성된 품종으로 2011년 강원도 산간지를 제외한 전국 팥 재배지역 적응 신규등록품종으로 결정되었다. 직립형의 중생종으로 적색 씨껍질을 가진 품종이다. 꽃피는 시기는 충주팥과 비슷하나 성숙 일수는 42일로 충주팥 대비 8일 빠르고 100알 무게는 13.1g으로 중대립종이다.

[아라리의 성숙 초형 및 씨껍질 사진]

10. 검구슬

칠보팥과 SA8412-3-1-4-3-3-2-3을 인공교배하여 육종된 품종으로 2011년 중남부 팥 재배지역 적응 신규등록품종으로 결정되었다. 칠보팥보다 쓰러짐에 강한 직립형의 중생종으로 검정색 씨껍질을 가진 팥 품종이다. 꽃피는 시기와 익는 시기는 충주팥과 비슷하며 100알 무게는 12.2g으로 중립종이다.

[검구슬의 씨껍질색]

11. 흰구슬

흰앙금 제조가 가능한 품종을 육성하기 위해 iT144994와 수원38을 인공교배하여 육성된 품종으로 2012년 전국 팥 재배지역 적응 신규등록품종으로 결정되었다. 직립형의 중만생종으로 황백색 씨껍질을 가진 팥 품종이다. 꽃피는 시기는 충주팥과 비슷하나 익는 시기는 길어 종자가 알차며 100알 무게는 13.4g으로 중립종이다.

[흰구슬의 씨껍질색]

12. 연두채

싹나물 제조가 가능한 품종을 육성하기 위해 SA9411-1-1-2와 수원38을 인공교배하여 육성된 품종으로 2013년 전국 팥 재배지역 적응 신규등록품종으로 결정되었다. 쓰러짐에 강하고 가공적성이 우수한 중생종으로 녹색 씨껍질을 가진 팥 품종이다. 꽃피는 시기와 익는 시기는 빠르며 100알 무게는 9.7g으로 소립종이다.

[연두채의 식물과 씨껍질색]

13. 서나

서나는 재배안정성과 기계화적성이 우수한 품종육성을 목표로 SA9201-2B-18-1-4-1-4와 SA9411-2B-1-1-2를 인공교배하여 육성된 품종으로 2014년 전국 팥 재배지역 적응 신규등록품종으로 결정되었다. 쓰러짐에 강하고 기계화적성이 우수한 중생종으로 적색 씨껍질을 가진 팥 품종이다. 꽃피는 시기는 비슷하나 익는 시기는 빠르며 100알 무게는 15.6g으로 중대립종이다.

[서나의 식물과 씨껍질색]

14. 흰나래

흰나래는 흰앙금제조용으로 Gyeongwonpat와 Sodubaenggei 3을 인공교배하여 육성된 품종으로 육성된 품종으로 2014년 전국 팥 재배지역 적응 신규 등록품종으로 결정되었다. 황백색 종피로 가공적성과 품질이 우수하다. 꽃피는 시기와 익는 시기가 늦은 만생종으로 늦게 파종하는 것은 피해야 하며 100알 무게는 16.6g으로 대립종이다.

[흰나래의 씨껍질색과 앙금색]

15. 홍진

홍진은 쓰러짐에 강하고 기계화 적성이 우수한 품종을 목표로 SA9206-2B-6-1-2-3-3-2와 수원38호를 인공교배하여 육성된 품종으로 2015년 전국팥 재배지역 적응 신규 등록 품종으로 결정되었다. 적색 씨껍질을 가진 품종으로 종피 두께가 얇고 종피 비율이 적어 팥 가공제품 제조 시 품질면에서 유리하다. 꽃피는 시기는 늦지만 익는 시기는 빠르며 100알 무게(백립중)는 15.4g으로 중대립이다.

[홍진의 식물과 씨껍]

한국산 및 중국산 팥 전분의 특성비교

우리나라에서 콩 다음으로 수요가 많은 팥은 단백질과 지방질 함량이 낮고 탄수화물 함량이 높은 두류로서, 그 구성성분의 대부분은 전분으로 이루어져 있다. 팥에는 쌀의 소화에 반드시 필요한 비타민B1이 다량 함유되어 있으므로 밥밑콩의 형태로 많이 이용되고 있으며, 팥죽이나 떡, 빵, 과자 등의 속재료로서 뿐만 아니라 최근에는 앙금과 양갱, 빙과 제조용으로도 많이 사용되고

있다. 팥에 관한 연구로는 팥 단백질에 대한 보고가 많이 있으며, 팥 껍질의 색소에 관한 연구와 팥의 수화속도에 관한 보고 등이 있다. 그리고 동부, 녹두, 강낭콩 등 같은 두류 전분에 대해서는 많은 연구들이 이루어져 있지만 팥 전분에 대한 연구는 많이 이루어지지 않았으며, 특히 생산지의 차이와 근래 많이 수입되고 있는 중국산 팥 전분의 이화학적 특성에 대해 비교 분석한 연구는찾아보기가 어려운 실정이다.

일반적으로 농산물은 생산지에 따라 품질의 차이가 있는 것으로 알려져 있다. 또한 같은 품종이라 하더라도 생산지별로 기후적 특성이나 토양적 차이로 인해각기 다른 성분으로 구성될 수 있으며, 그 함량에 큰 차이를 보이기도 하지만 많은 경우 그 차이가 미미하게 나타나기도 한다. 현재 국내에서 많이 생산되는 팥 가공제품의 원료로 중국산 팥보다 가격이 매우 비싸기 때문에 품질이 떨어지면서도 중국산 팥을 사용하고 있는 추세라고 볼 수 있다. 한국산과 중국산 팥을 차별화하여 고품질의 팥 가공제품을 생산할 수 있도록 비교분석한 연구문헌을 통해 기초자료로 활용이 되었으면 한다.

1) 재료 및 방법
한국산 팥은 전북 장수산을 중국산 팥은 수입산으로 앙금 제조에 사용하고 있는 것을 공급받아 냉장실에 보관하여 사용함.

2) 제분의 제조
전분은 알칼리 침지법에 의하여 분리하였으며, 팥을 맷돌로 거칠게 부순 다음 약 3시간 동안 수침하여 거피하고 0.2% NaOH 용액을 가하여 waring

blendor에서 5분간 마쇄한 후 100mesh와 400mesh 체로 반복 통과시켰다. 체 통과 부분을 4℃ 냉장고에 하룻밤 방치하여 침전시키고 상징액을 제거. 상징액을 제거한 침전물을 0.2% NaOH 용액에 다시 현탁시켜 냉장고에 방치하여서 침전시킨 후 상징액을 제거하는 조작을 침전물의 노란층이 없어질 때까지 반복을 한다. 그 후 증류수로 침전물의 용액이 중성이 될 때까지 세척하고 정제전분을 얻는 방법으로 진행하였다고 한다. 이렇게 얻어진 전분을 실온에서 건조한 후 분쇄하여 100mesh 체를 통과시킨 다음 유리병에 담아 밀봉하여 냉장고에 보관하면서 전분시료로 사용하였다.

3) 일반성분 분석
시료 전분의 수분, 조단백질, 조지방질, 조회분 등의 일반성분은 AOAC 방법에 따라 분석.

4) 전분입자의 형태
전분입자의 형태는 광학현미경을 사용하여 200배로 확대하여 관찰하였고, 입자의 표면은 주사전자현미경을 사용하여 1,000배로 관찰.

5) 전분입자의 백색도 측정
전분입자의 백색도 측정은 분체용 백색도계를 이용하여 측정하였다. 표준으로는 blue filter를 사용하여 440nm에서의 백색도가 84.6(100%)일 때를 기준 값으로 하였고, 시료 접시에 시료 전분을 넣고 뚜껑을 닫은 후 기계에 장착하여 5번 측정한 값의 평균값으로부터 각 전분의 백색도를 측정함.

6) 전분의 이화학적 특성

전분의 물 결합능력은 Medcalf 와 Gilles의 방법에 따라 측정. 팽윤력과 용해도는 Schoch 의 방법을 개량하여 구하였으며, blue value는 Gilbert와 Spragg의 방법에 따라 680nm에서 측정하여 계산하였다.

전분의 아밀로오스 함량은 Williams 등의 비색법으로 625nm에서 흡광도를 측정하여 정량하였다. 아밀로오스의 표준곡선은 Montgomery와 Senti의 방법에 의해 팥 전분으로부터 아밀로오스와 아밀로펙틴을 분리한 다음 일정 비율로 혼합하여 흡광도를 측정.

7) 특성비교 결과

한국산과 중국산 팥의 품질 차이를 알아보기 위하여, 한국산 및 중국산 팥으로부터 알칼리 침지법으로 전분을 분리하여 일반성분과 이화학적 특성을 분석 비교하였음. 수분 함량은 중국산 팥 전분이 높았으며, 조지방과 탄수 화물함량은 한국산 팥 전분이 높았다. 전분입자의 형태는 한국산 및 중국산 모두 대부분 둥근형이었으며, 전분입자의 크키는 한국산이 25.78um로 중국 산보다 작았다. 전분입자의 백색도는 한국산 팥 전분이 87.22%로 중국산 팥 전분의 86.16%보다 유의적으로 높았다. X-회절도의 경우, 한국산 및 중국산 팥 전분 모두 A형에 가까운 C형이었으며, 시료 전분간에 결정성에는 뚜렷한 차이가 없었다.

아밀로오스 함량은 시료 전분간에 유의적으로 차이를 보였으며, blue value 는 한국산 팥 전분이 1.02로 중국산 팥 전분보다 높았다. 팽윤력은 한국산 팥 전분이 75℃까지는 중국산 팥 전분보다 높았으나 이후 낮아졌으며 용해도도 비슷한 경향을 보였다. 팥 전분의 일반성분 분석결과 한국산과 중국산간에는 차이가 미미하였지만 이화학적 성질에 있어서는 한국산 팥 전분이 우수한 것으로 판단된다. 하지만 여기서 중요한 점은 이러한 미미한 차이 대비 가격적인 상품성으로 판단할 경우, 소비자와 기업의 선택은 가격경쟁력이 우수한 중국산 팥을 사용할 것이다. 왜냐하면 월등히 우수한 부분이 없다면 가격적으로 현저히 낮은 중국산 팥을 찾을 거란 이야기이다.

이러한 국내연구 결과에 따라 제과제빵에 종사하는 사람으로써 우리는 국산팥을 사용하고 홍보함에 있어 국내산 팥이 우수하다고 말할 수는 있겠지만, 과연 제품을 제조함에 있어 국내산보다 중국산 팥을 사용하는 업체들이 원재료의 절감을 위해 대다수가 사용하지 않을까 생각이 된다. 국내산 팥을 사용하지 않기에 안 좋다는 것이 아니라 보다 국내산 팥의 유통과 경쟁력을 확보하기 위해서는 품종 개량과 단가를 낮추되 농가를 지원할 수 있는 그러한 농가 정책이 필요하다고 생각한다. 단순히 한국산 팥을 사용하라고 홍보만 할 것이 아닌 현재 한국산 팥의 위치를 파악하고 국가는 어떻게 농가를 지원하여 경쟁력을 확보할 것인지를 고민해야 한다고 생각한다. 점점 수입농산물에 밀려 사라지는 농가들을 국가는 지원 및 연구에 대한 개발을 끊임없이 노력하고 투자해야할 것이다.

C 팥 단백질의 소화효소 저항성 성질

팥은 떡고물, 양갱, 팥빙수용으로 많이 쓰이는 곡류로 잡곡 등 혼식용으로도 이용되고 있다. 팥에는 녹말 등의 탄수화물이 약 50% 함유되어 있으며, 그밖에 단백질이 약 20% 함유되어 있다. 이 단백질 함량은 콩류 안에서는 중간정도의 함량이고 이중 80%는 글로불린이다. 글로불린 단백질 중 대부분인 glycine이며 valine을 제외한 필수 아미노산이 풍부하다. 특히 lysine 함량이 높아 lysine이 부족한 쌀과 함께 혼식하면 단백질 보충에 매우 효과적이다.

이외에도 비타민 B1이 현미보다도 더 많이 함유되어 있어 각기병치료에 효과적이다. 이뇨작용, 피로회복에도 도움이 되며 비타민 A, B2, 칼슘, 인, 철분 등이 함유되어 있다. 또한 팥의 외피에는 사포닌과 콜린이라는 성분이 들어있어 항암효과와 성인병 예방에도 도움이 된다고 알려져 있으며, 포함된 사포닌의 거품을 내는 특성 때문에 피부 미용에도 이용된다. 팥은 열량도 낮아 다이어트 식품으로도 각광받고 있으며 팥의 식이섬유(5g/100g)는 장운동을 도와 변비해소에도 좋다.

이처럼 팥은 콩에 비해서는 이용이 적지만 최근 웰빙열풍과 함께 팥의 효능에 대한 관심이 높아지면서 건강식품으로 인식되어 그 수요와 활용이 증가하고 있어 팥에 대한 활용증진을 위한 노력이 필요하다. 이에 팥에 관한 연구가 필요하며 특히 팥 단백질에 관한 연구는 콩이나 옥수수 등의 다른 곡류들의 단백질 연구에 비해 많지 않은 실정이다. 따라서, 팥 단백질의 기능에 관해 알아보기 위해 팥 단백질을 추출하여 실험을 실시한 연구문헌을 통해 콩의 단백질분해효소 저항성 단백질의 특성과 연관시켜 팥 단백질에 관한 결과를 분석해 보기로 한다.

소장은 융모와 미세융모를 가지고 많은 소화효소를 분비하여 영양소 흡수에 효과적이다. 그렇기에 대부분의 영양소들이 소장에서 분해되어 흡수된다. 그러나, 사전 연구들에 따르면 콩의 주요단백질은 소장에서 완전히 분해되지 않는다. 이러한 단백질들을 단백질 분해효소 저항성 단백질이라 보고 팥 또한 이러한 콩 단백질처럼 완전히 분해되지 않고 소장 점막과 어떠한 상호작용을 하는 팥 단백질이 있을 가능성이 있으므로 팥 단백질 중의 소화효소 저항성 단백질에 대한 문헌을 통해 팥을 이용한 제과제빵 제조시 소화에 좋은 제품과궁합을 생각해 볼 수 있는 좋은 연구라고 생각된다.

1) 재료 및 방법

- Defatted adzuki bean 샘플용액 제조

팥을 4℃ 증류수에 18시간 동안 침지시켜 외피를 모두 제거 한 후 전체의 반은 10분안 100℃로 열처리를 하고 나머지 반은 열처리 없이 각각 동결 건조하여 완전히 수분을 제거하였다. 그 후 건조된 열처리 및 무열처리 팥을 각각 분쇄기에 갈아서 고운 분말로 만들고 분만 30g 당 0.1 × PBS 15ml 를 첨가한 후 1시간 동안 실온에서 200rpm으로 교반하여 단백질을 추출 하고 12000rpm, 4℃에서 30분간 원심분리하여 수용성 단백질 상층액을 얻었다.

- Simulated gastric/intestinal fluid에서 팥 단백질 분해

수용성 팥 단백질 용액을 9ml씩 취하고 pepsin을 최종 3.2mg/ml되도록 첨가하여 ph 2로 맞추어주고 37℃ water bath에서 반응시키며 0,1,2h 에 각각의 반응물을 채취하고 1M NaOH을 가하여 ph 7로 맞추어 반응을 종료 시킨 후 0℃에서 보관하였다. 채취하고 남은 팥 단백질 반응물에 1M NaOH 을 가하여 ph6.8로 맞춘 후 pancreatin의 최종 농도가 10mg/ml 되도록 첨가하고 water bath incubator(37℃)에서 반응시키며 1,2,3,4,18h에서 각 각 반응물을 채취하고 5분간 100℃ 물에서 중탕 열처리하여 반응을 종결 시 킨 후 0℃에서 보관하였다.

- 단백질분해요소 저항성 단백질의 분리

열처리구와 무열처리구 팥 단백질을 pepsin 및 pancreatin 으로 소화 시킨 후 소화효소에 저항성을 보이는 단백질분석을 위해 12%로 100v에서 전기영동 후 gel을 coomassie brilliant blue G-250으로 overnight staining, 10% ethanol 용액으로 destaining 하고 증류수로 세척한 후 scan 하였다.

- CaCl2 로 major 팥 단백질 제거

무열처리 팥 단백질 시료용액 9.5ml에 0.02 m 10ml 이 되도록 0.5m tris-HCl, ph 6.8 0.4ml과 1m CaCl2이 들어 있는 20mM Tris, ph6.8 용액을 10ml를 만든 후 0℃에서 1시간 방치하여 침전이 생기도록 하고 16000rpm, 4℃에서 10분 동안 원심분리하여 major 단백질이 제거된 상층액과 major 단백질을 포함하는 pellet을 분리하여 냉장보관 하였다.

- 팥 단백질의 단백질 분해효소 저항성

열처리와 무열처리 팥에서 분리한 수용성 단백질을 분히라여 Bradford방법으로 단백질 정량을 한 결과 무열처리 팥에서는 60mg/ml의 농도로 단백질이 측정되었으나 열처리구에서는 6mg/ml 이하로 단백질이 측정되어 열처리에 의해 대부분의 팥 단백질이 불용화되는 것으로 추정되었다.

무열처리와 열처리된 팥 단백질의 단백질 분해효소 저항성을 알아보기 위해 우선 팥 단백질들을 pepsin 으로 2h 그리고 pancreatin 으로 18h 동안 반응시 킨 후 분해되지 않고 남은 단백질을 12% SDS-PAGE 상에서 분리해서 염색을 한 결과 무열처리한 팥 단백질은 pepsin에 대해 대부분 저항성을 보였고 pancreatin 에 대해서는 4h 반응시킬 경우 대부분 major 단백질들이 분해되었을 뿐 나머지 단백질들은 저항성을 보였다고 한다.

그러나 열처리한 팥 단백질은 수용성으로 추출된 단백질의 농도가 낮아 gel 상에서 희미한 단백질 band를 보였는데 pepsin 반응에서는 저항성을 보였으나 pancreatin 반응에서는 대부분의 단백질이 분해되는 경향을 보였다. 이 결과는 팥 단백질에도 콩 단백질에서와 같이 단백질분해효소 저해요소가 들어 있음을 알 수 있는 연구였고 열처리에 의해 이들 저해요소들이 제거되었음에도 pepsin에 대해서는 여전히 단백질 분해효소에 저항성을 보임을 연구결과를 통해 볼 수 있었다. 또한 팥의 major 단백질은 오히려 pancreatin 에 의해 더 선별적으로 분해될 수 있음을 보였다.

콩 단백질처럼 팥에도 소화효소 저항성을 지닌 단백질이 있을 것으로 예상한 것과 같이 팥 단백질 중에서도 소화효소 저항성을 지닌 단백질이 있는 것을 확인할 수 있는 연구내용 이었다. 하지만 팥 단백질에 열을 가하면 단백질 대부분이 불용화되어 수용성 단백질의 회수가 어려운 것을 유추할 수 있는데 이는 팥 단백질은 열에 매우 약하여 쉽게 변성이 되는 것은 아닌가라고 추론을 해 볼수 있을꺼 같다. 팥의 주요 단백질들을 제거한 뒤에 소화효소로 분해한 결과, 대부분 단백질들이 분해되었으므로 팥의 주요 단백질들이 단백질 분해효소 저항성을 가지는 단백질들임을 의미하는 것이다. 하지만 팥 단백질의 정확한 데이터베이스를 연구하는 업종이 아닌 이론과 경험을 토대로 제품에 도입하는 나로써는 이 단백질들을 명확히 규명하기 위해서는 단백질 성질을 규명하는 방법을 시도하는 것이 아닐까 생각이 된다.

단백질 분해효소 저항성 팥 단백질들이 장 점막세포에서 어떤 작용을 할 수 있지 않을까도 예상하였으나 예상과 달리 장 점막세포와는 강하게 결합하지 않는 결과를 볼수 있다.

이는 팥 주요 단백질들이 제한된 수의 장 점막세포상의 단백질과 작용하여 생리작용을 나타내거나 물리적인 흡착과 같은 과정을 통해 소장 내에서 생리적 기능을 나타낼 수 있음을 볼 수 있는 것이다. 따라서 팥 단백질의 작용에 대한 연구를 위해 단백질분해요소 저항성 단백질들과 lipid와의 상호작용, 단백질 분해산물인 peptide 들의 장점막결합 등도 앞으로 분석을 기다리는 분야가 아닌가 생각된다.

위 연구결과를 토대로 필자의소견은 팥 단백질의 데이터베이스 구축과 팥 단백질이 다른 영양소들과의 상호작용을 하는 지에 대한 연구가 진행되어야 한다고 생각하는 바이다.

팥의 비만예방 혈행개선

최근 농가소득 감소에 따른 잡곡 재배 기피현상과 더불어 팥 생산량, 재배 면적이 감소 추세에 있고 수입과 비교 가격 경쟁력이 약화됨. 팥은 계절과 풍속, 문화와 정서의 곡물로 떡, 제방, 제과 등 고정수요가 확보되어 있는 작물이다. 사회적으로 인구고령화에 따른 만성, 대사성 질환이 증가하고 있고 질병의 치료에서 예방으로 목적이 변모하고 있어 이에 따른 식품의 중요성이 증대되고 생리활성 물질 함유 소재의 수요가 증가하는 추세이다.

따라서 팥의 품종개량과 더불어 팥의 기능성 검증, 물질분석 연구 강화가 요구되는 시점이므로 본 연구는 팥의 비만예방, 혈행개선 효능 구명 및 가공 기술개발에 대하여 참고문헌을 통해 자세히 알아보록 한다.

팥은 비교적 지질 및 단백질의 함량이 낮고 전분의 함량이 높은 것으로 알려 져있다. 팥은 예로부터 한국을 비롯한 중국, 일본, 대만 등지에서 식량자원인 동시에 치료목적의 민간요법으로도 사용되어왔다. 팥은 껍질중에 anthocyanin함량이 높고 이 성분은 항산화 및 항종양 효과가 있음이 알려져 있다.

팥의 메탄올 추출물의 항산화 성분으로는 polypheno, flavonoid, anthocyanin및 proanthocyanidin 등이 보고되었고, 팥의 항고 콜레스테롤혈 증, 혈당조절, 혈압강하 효과 등에 대해 보고 되고 있다. 다수의 문헌에서 팥과 같은 plantbased food는 약물과 달리 부작용 없이 건강에 이로운 효과를 줄 수 있다고알려져 있고 또한 비만예방 효과에 대해서도 연구되고 있다. 비만은 생체네 에너지 불균형에 의해 유발되며 과잉된 에너지원은 지방조직에 지방으 로 축적되어 체중을 증가 시킨다. 지방조직의 축적은 지방전구세포의 분화와 증식에 기초하여 야기되므로 비만 예방과 치료를 위해서는 이러한 과정을 조절 하는 식품유래 성분을 찾는 것이 효과적일 수 있다.

비만은 고혈당, 고지혈증, 고콜레스테롤혈증, 고혈압 등 대사증후군의 위험을 증가시킨다. 활성산소종 제거 효과를 가진 식품의 섭취는 체중을 감소시키고 비만관련 질병을 예방한다. 다수의 연구에서 산화적 스트레스는 비만과 비만

관련 질환과 대사적 경로가 연결되어 있음을 밝혔다. 또한 최근 식생활 습관의 변화와 각종 스트레스의 증대로 각종 성인병과 노화를 야기하는 free radical 과 활성 산소종(ROS, reactive oxygen species)에 대해 관심이 커지고 있다. ROS는 생물체 내에서 산소를 이용한 대사 부산물로서 다양한 산화적 스트레스 및 인체 내에서 여러 가지 효소반응에 영향을 미친다.

ROS는 세포 구성 성분들인 탄수화물, 단백질, 지질 및 DNA 등과 반응하여 산화적 손상 및 효소활성을 변화시켜 뇌졸중을 비롯한 뇌질환과 심장질환, 동맥경화 및 암 등과 같은 질병들의 원인이 되기도 한다. 이와 같이 ROS는 생체조직을 손상시키고 노화를 촉진시키는 것으로 알려져 있어 ROS를 조절 할 수 있는 항산화 효능을 가지는 항노화 관련 물질의 개발이 필요하다. 팥의 기능성 유효성분을 조사 및 추출, 항산화 및 노화 활성평가를 하고 세포 및 동물실험을 통해 팥 추출물의 항비만/당뇨, 혈행개선에 효능이 있는 건강기능효과와 작용기전을 규명하여 농업과 식품산업을 연계하여 국민건강 증진 및 가공기술 개발을 위해 팥 유래 기능성 물질 확보 및 검증 후 당뇨/비만 등 생활습관법의 예방을 위한 기능성 함유 식품 기술 개발 수행이 필요하다.

1) 국내외 기술개발 현황

팥은 떡의 소나 앙금 등 주로 전분의 특성을 이용하는 형태로 소비가 제한적인 편이다. 식생활을 통해 질병의 예방 및 개선 가능성이 대두되면서 각종 식물체로부터 여러 생리활성물질의 활성 탐구 및 추출에 많은 노력이 이루어지고 있다. 대두와 같은 두류로 분류되는 팥의 생리활성물질 및 기능성 검증에 대한 연구는 미비한 실정이었으나 최근 일부 연구자들에 의해 시도되고 있고, 팥은 생리활성도가 높은 것으로 평가되고 있다. 이러한 연구결과들은 국산 팥의 재배 및 소비를 증대시키고 이를 통해 농민의 수입증대에 일조할 것으로 판단된다. 팥은 한국인의 식탁에서 빼놓을 수 없는 기호성 작물로 전통음식인 팥죽을 비롯하여 떡, 빵, 과자, 팥빙수 등의 재료로 이용되고 있다. 국내에서는 기존에 팥을 이용한 음료 마시는 통단팥, 레드빈베지밀 등이 개발 되었으나 크게 주목 받지 못하였다. 현재 팥이라는 용어를 갖는 대한민국 특허는 팥 앙금 제조접에 관한 것이 대다수 이다. 또한 팥 자체를 활용하기보다 하나의 첨가물로 사용되는 경우이며, 팥을 이용한 음료 및 식제품이 주를 이룬다.

국내에서 팥에 대해 연구하여 발표한 논문은 대부분 항산화작용에 대한 연구였으며, 팥 추출물에 대한 활성 및 기능성 분석, 비만예방 및 혈행개선에 대한 연구는 미비한 실정이었다. 팥은 우리나라를 비롯하여 중국, 일본 등 동북아 아시아에서 많이 재배되며, 동남아 및 일부 미주국가에서 지배되기도 하나 생산량이 많은 편은 아니다. 또한 국제 식량농업기구(FAO)에서 강낭콩류로 분류되어 강낭콩, 팥, 녹두, 동부, 라마콩 등 강낭콩 속과 동부속에 소하는 작물들과 같이 생산통계가 집계되기 때문에 팥을 재배하고 있는 나라와 생산량에 대한 구체적이 자료가 없는 실정이다.

팥에 대해 국외 학술지에 발표된 내용은 기능성 물질 분리 및 항비만, 항산화 및 간 보호 효과 등 다양한 기능성 평가에 대해 보고되었으며 대부분 일본에서 활발히 연구 중이다. 또한 국내보다 다양한 팥 이용 가공제품이 개발되고 있다. 기존에 인기 있는 제품에 팥을 접목하여 프리미엄 상품으로 출시하는 등의 시도가 이루어지고 있고 팥물 형태의 음료가 인기를 얻은 적도 있다.

인터넷상에서 입소문을 통해 국내 소비자들도 이러한 제품에 관심을 보이고 있는 이들도 생겨났다. 2013년 이전에 국외 연구는 팥을 이용한 비만, 당뇨에 대한 효능검증이 주를 이루었으나 그 연구범위가 점차 확장되고 있는 추세이다. 기존에 보고 되었던 항비만 연구는 팥 투여로 인해 야기되는 효과에 치중되었으나 본 연구 에서는 세포수준에서 지방세포 증식과 분화 억제에 고나여하는 분자적 기전을 밝혀 차별화하였고, 또한 항비만 효과를 설명하는데 지방합성 억제, 지방분해촉진과 더불어 팥 추출물이 식욕에 미치는 영향을 연구하여 국외학술지에 보고 하여 항비만 효과 기전을 밝히기 위한 총체적 접근을 시도 하였다.

팥에서 분리한 Vitexin을 최초로 보고하였으며, Caenorhabditis elegans를 이용하여 생명연장 및 스트레스 저항, 항노화 효과에 관해 기존 연구와 차별화된 새로운 시각으로 연구를 수행하였다. 세포주 및 실험동물모델을 이용한 팥의 비만/당뇨 개선효과와 작용기전규명 및 가공제품개발이라는 연구논문이 보다 팥을 이용한 제품을 제조하고 판매시 고객들에게 어떻게 어필을 해야 할지 고민하다 아래의 연구내용을 보고 많은 정보를 습득할 수 있었다. 연구내용은 아래와 같다.

다양한 팥 품종 효능평가 스크리닝 및 시료 선별을 위해 20여 종의 팥 에탄올 추출물 제조 후 여과, 농축, 동결건조하고 항산화 활성 검사를 실시하였다. 항산화 활성은 활성산소종제거능을 가지는 것으로써 활성산소종 생성이 과다할 경우, 염증을 비롯한 비만, 당뇨 등 대부분의 질병 유발을 매개하는 것으로 알려져 있다. 따라서 20여 종의 팥 품종 중 비만/당뇨 개선효과가 우수할 것으로 예상되는 품종을 항산화활성 시험을 통해 스크리닝 분석한 연구 내용이다. DPPH 라디칼 소거능 측정 후 각 시료의 항산화작용을 DPPH 산화에 대한 저해율과 IC_{50} 값으로 나타냈다. ABTS 라디칼 소거활성은 inhibition rate(%)값과 IC_{50} 값으로 나타내었다.

팥 추출물의 분획별 지방세포 성장 억제능 측정을 위해 획득한 팥 추출물의 분획물을 지방전구세포에 처리하여 지방전구세포 성장억제능을 측정하였다.
또한 팥 추출물 자체로 in vitro 수준에서 혈행개선 효능 검증을 fibrin 용액법과 plate법으로 실시하였다. Fibrin 용액에 팥 추출물 처리 후 plasmin 표준곡선으로 혈전용해효소 활성을 측정하고, Fibrin plate 제조 후 plasmin을 대조군으로 하여 팥 추출물의 혈전용해효소 활성을 측정하였다. 지방세포를 이용한 항비만 효과평가를 위해 지방전구세포 증식억제능은 선별된 팥 추출물을 농도별로 처리하여 24시간, 48시간 배양 후 시간별로 측정하였다.

지방세포 분화 억제능은 지방세포 분화 유도시 시료 처리하여 지질축적 억제 효과를 TG 측정과 지방구 염색을 통해 확인하였다. 또한 지방세포 분화에 관여 하는 유전자와 지방분해 관련 유전자 발현을 분석하고 지방세포에서 팥 추출물처리에 따른 항비만 효과 작용기전가설을 검증하였다.

췌장세포를 이용한 항당뇨 효능평가는 췌장세포 배양 후 팥 추출물을 농도별로 처리하여 세포 증식능 측정한 후 췌장세포 증식을 억제하는 alloxan 처리 후 팥 추출물 처리에 따른 췌장세포 보호 효과를 분석하였다. 항비만 효능평가를 위한 1차년 연구결과 다양한 팥 품종 중 항산화 활성 및 항비만/당뇨 효능이 우수할 것으로 사료되는 검구슬 품종을 선택하여 2차년도 동물실험을 수행하였다. 고지방식이로 비만이 유발되고 내당능장애가 동반되는 동물모델을 이용하여 항비만 효능평가를 수행하였다. 동물모델을 12주 동안 7군으로 나누어 사육하고 정상식이 대조군(ND), 고지방식이 대조군(HD), 고지방식이 +1% 검구슬 추출물(BAB-1), 고지방식이+1% 붉은팥 추출물(RAB-1), 고지방식이 +1% 검은콩 추출물(BB-1), 고지방식이 +kampfer(kft), 고지방식이 + rutin 방식은 이렇다.

사육하는 12주 동안 매주 1회 체중을 측정하여 군간 체중변화 추이를 관찰 하였고, 사후 기관 조직의 무게 변화 및 병리학적 관찰하였다. 간 조직과 부고환지방, 장간막지방의 무게를 측정하고, 체중당 부위별 지방량의 비율을 산출하였다. 부고환지방과 장간막지방은 각각 복부지방과 내장지방으로 간주 할 수 있다. 비만이 유도되면 간에도 지방이 축적되어 지방간이 유발된다.

따라서 병리학적 관찰을 통해 간 조직 내 지방생성량과 지방조직의 지방구 크기를 관찰하였다. 체내 지질 수준을 알아보기 위해 혈중에서 중성지방(TG), 총 콜레스테롤(TC), HDL 콜레스테롤(HDL-C)를 측정한 후, LDL 콜레스테롤과 VLDL 콜레스테롤 수준을 산출하였다. 또한 간 조직 중 중성지방량과 총 콜레스테롤량을 분석하였다. 고지방식이로 비만이 유도되면서 지질대사에 영향을 주고, 간 조직에 지방간이 유발되면서 조직이 손상되어 혈중으로 간 효소가 분비된다. 따라서 GOT, GPT를 측정하였다. 또한 지방조직에서 분비되는 호르몬인 leptin 과 adiponectin 수준을 측정하였다.

leptin은 식욕을 조절하는 호르몬이나 과도한 비만상태에서는 렙틴 저항성이 나타나 렙틴 기능이 저하되는 것을확인할 수 있었으며 아디포넥틴은 렙틴과 반대로 작용하며 대사증후군과 심혈관질환 예방 지표로 작용한다.

팥 추출물의 항당뇨 효능평가를 위해 사육 5, 7, 9, 11주에 공복시 혈당을 측정하였으며, 희생 전 포도당 경구 투여 후 30, 60, 120, 180분 후에 혈당변화를측정하여 내당능 평가를 실시하였다. 고지방식이로 비만과 함께 2형 당뇨가 유도되면, 인슐린 분비량은 유의적으로 증가하면서도 인슐린저항성이 나타나 혈당조절에 결함이 발생할 수 있다. 따라서 희생 후 혈중 인슐린을 측정하고 인슐린저항성 지표인 HOMA-IR을 산출하였다.

팥 추출물이 비만개선에 미치는 영향을 평가하고자 지방조직 내에서의 지질대사 관련 유전자 발현을 조사하였다. 지방합성 관련 효소인 FAS, PPAR, LPL, CD36과 지방산화(분해) 관련 효소인 유전자 발현 정도를 측정하였다. 또한 자세한 기전을 알기위해 지방산화 관련 효소인 ATGL, HSL, FABP4의 유전자 발현을 조사하였다. 비만 예방과 치료의 방법으로 지방합성 억제, 지방분해 촉진 그리고 식욕조절을 들 수 있다. 식욕조절로 인해 식욕억제와 포만감 증가가 촉진되면 결과적으로 비만율이 감소되고 이에 따라 체지방량증가 및 비만으로 야기 되는 2형 당뇨의 유발도 예방할 수 있다. 따라서 다각도로 항비만 효능을 검증하기 위해 실험동물의 뇌 조직에서 시상하부를 수집하여 식욕조절 유전자 발현측정을 진행하였다고 한다. 8주 동안 매주 1회 체중 변화를 관찰하고, 실험구간체중 변화 추이를 관찰하였다. 식이섭취량은 격일로 측정한 후 주별 식이량 변화를 관찰하여 통계적으로 산출하였다.

비만에서 복부지방은 질병유별 주요 부위로 간주된다. 또한 비만 유도시 지방간이 유발되어 간 조직의 무게가 증가할 수 있다. 따라서 부고환지방과 간 조직 무게를 측정하였다. 또한 체내 지질 수준을 알아보기 위해 혈중에서 중성지방(TG), 총 콜레스테롤(TC), HDL 콜레스테롤를 clinical chemistry analyzer를 이용하여 측정하였다. 식욕 조절과 관련이 있는 호르몬인 렙틴과 그렐린은 protocol에 따라 heparin 또는 DPP-IV과 aprotinin 처리된 tube에 전혈을 수집하여 serum 분리 후 시판키트를 이용하여 측정. 팥을 이용한 제품 관련 시장 현황 조사 및 제품 연구는 팥을 이용한 제품 및 음료시장에 관한 조사, 제조법 연구 및 환 제조 가공기술 개발을 통해 알아보았다.

팥 음료 제조방법 개발은 팥 음료가 시장에서 타사 제품과 비교하여 경쟁 구도를 가질수 있도록 연구 목표를 설정하고 상기에서 연구된 팥물 또는 추출물을 이용해 비만 예방 및 혈행 개선을 위한 음료 제조법을 개발하였다고 한다.

위와 같이 구성된 제품을 고온살균 및 파우치 충진기를 이용하여 제품을 충진하고 후살균을 통해 제품 제조법을 개발하는 등 많은 연구가 이루어지고 있다. 현재 음료시장에는 과실음료 및 탄산음료와 다류, 즉 곡류나 차를 이용한 옥수수차, 보리차, 녹차 같은 무가당 음료가 자리 잡고 있다. 근래에 들어서는 생활환경이나 식생활 변화등으로 인해 칼로리가 과잉 섭취되어 중성지방의 증가, 동맥경화, 고혈압증, 당뇨병 등의 생활 습관병이 증가되었고 이슈화되고 있으며, 그 대책으로서 저칼로리이면서 비타민, 미네랄류를 간단히 섭취할 수 있는 소위 건강음료가 특히 주목을 받는 실정이다. 현재 팥 음료시장은 기능성 연구가 진행되지 않았으며 시장에서는 다류 또는 침출차 등이 일부 판매되는 실정이다.

또한 시장제품 분석 결과 팥을 이용한 유산균 발효 음료는 찾아볼 수 없었으며 팥의 비만 및 혈행개선 효능을 입증한 원료를 사용하여 기능식품 시장에서 고부가치를 지닌 식품이 개발이 된다면 이를 계기로 활발한 연구가 이어져 제과제빵 사업분야에도 많은 제품들이 개발되고 출시되는 기회가 되지 않을까 생각한다.

사실상 현장에서 무엇인가를 개발하고 연구하고 특허를 내기도 하지만 제과제빵 분야의 업을 가지고 있는 분들이라면 모두 알고 있다고 생각한다.
팥을 이용한 앙금을 추가하여 제조하고 특허를 내는 것일 뿐 정확히 팥의 연구를 통해 그 속에 특별한 기술을 상용화 하는 것은 아니다. 그렇다고 특허의 가치가 없는 것은 아니라 그 깊이가 필요하다고 생각하는 개인적 소견이다.

산처리 팥 전분의 겔 특성

전분현탁액을 일정 온도이상으로 가열한 후 냉가시키면 호화된 전분현탁액은 점탄성을 갖는 겔을 형성한다. 전분 겔은 가열하는 동안 용출된 아밀로오스가 만든 grl matrix내에 팽윤된 전분립이 deformable filler로 묻혀 있는 구조를 가지며, 어느 정도 강한 겔이 되려면 전분 농도는 6% 이상이어야 한다.

전분 겔의 특성은 전분의 농도, 호화 과정동안 용출되어 나오는 아밀로오스와 아밀로펙틴의 함량, 전분립의 팽윤력, 그리고 아밀로오스, 아밀로펙틴 및 전분립간의 상호작용에 의하여 영향을 받는다.

Orford 등은 전분겔의 초기 강도는 호화 과정동안 용출되는 가용성 아밀로오스의 함량이 높을수록 증가한다고 한다. 아밀로오스와 아밀로펙틴의 비가 겔 특성에 매우 중요하다고 하였으며, Leloup 등은 amylo-pectin-rich gels은 amylose-rich gels보다 효소나 화학적 분해가 쉽게 일어나고 기계적 강도도 낮다고 하였다.

전분은 산처리에 의하여 팽윤력과 용해도가 증가하고 점도와 요오드 친화력 및 분자량이 감소하며, 전분립 내부의 결합력이 약해진다고 알려져 있다.
산처리는 전분의 이화학적 특성을 변화시키므로 전분 겔의 특성에도 영향을 미칠 것으로 생각된다. 따라서 두류전분중에서 팽윤력의 값이 비교적 낮다고 알려진 팥전분을 이용하여 산처리가 전분의 이화학적 특성 및 겔 특성에 미치는 영향에 대하여 실험한 연구 결과를 살펴보기로 한다. 온도에 따른 팽윤력과 용해도는 산처리에 의해 전분의 팽윤력이 증가하였으며, 특히 산처리에 의해 85℃ 이후 패윤력의 증가 양상이 뚜렷하게 나타났다. 팥전분은 다른 두류전분에 비하여 비교적 팽윤력이 낮은 값을 나타낸다고 보고되어 있으며, 팥 전분의 팽윤력이 괴경 전분과 비교하여 낮다고 보고하였다. 전분의 팽윤력은 전분립 내부의 결합력과 관련이 있으며, 전분립 내의 결합력이 강하면 팽윤에 강하게 저항한다고 하였다.

용해도는 팽윤력과 비슷한 양상을 보였으나 산처리 시간이 길어질수록 용해도의 증가 양상이 뚜렷하게 나타났으며 낮은 온도에서부터 산처리에 의한 용해도의 증가가 나타났다. 산처리에 의한 팽윤력과 용해도의 증가는 산에 의해 전분의 결정 부분의 일부가 가수분해됨으로써 전분 내부의 결합력이 낮아지고 이로 인해 가용성 전분의 용출이 쉬워졌을 것으로 생각된다. 시료 전분의 겔 크로마토 그래피 양상은 시료 전분 모두 비슷한 용출 양상을 보였으며, 두 부분으로 나누어져 있다. 40℃에서 1시간 산처리한 경우 대부분의 아밀로펙틴부분이 작은 분자로 분해되었으나 아밀로오스 함량에는 약간의 변화만 나타날 뿐이었다고 한다. 산처리 4시간 후에도 대부분의 아밀로펙틴이 그대로 남아 있었다고 한다.

가열 온도에 따른 시료 겔들의 견고성과 응집성의 변화양상으로는 시료겔의 견고성은 85℃에서 가장 크게 나타났으며, 산처리에 의해 겔의 견고성이 증가하였다고 한다. 무처리 전분이나 산처리 20분, 40분 전분의 경우, 가열온도 증가에 따른 변화 양상이 비슷하게 나타났으나 산처리 60분 전분의 경우 85℃에서보다 90℃, 95℃에서 견고성이 감소하였다고 보고된다. 산처리에 의한 겔의 견고성의 증가는 전분의 가용성성분 특히 가용성 아밀로오스의 용출량이 증가하였기 때문으로 생가되어지며 Orford 등도 겔 견고성의 초기속도는 호화과정동안 용출되는 가용성 아밀로오스의 함량과 관계가 있다고 하였다.

산처리 60분 전분의 경우 85℃에서는 가용성 전분의 증가에 의한 견고성의 증가가 가장 크게 나타난 반면 95℃에서는 오히려 견고성이 감소하였는데 이는 팽윤력의 증가와 더불어 전분 입자들이 일부 붕괴되면서 아밀로펙틴의 일부분들과 intermediate amylose의 용출량이 증가하였기 때문이라고 생각된다. 전분립으로부터 용출되는 아밀로오스와 아밀로펙틴의 양, 전분립의 팽윤력, 그리고 불용성 전분립이 겔 특성에 영향을 미친다고 하였다. 이러한 요인들의 분석결과 가용성 아밀로오스의 함량과 팽윤력은 겔의 견고성과 탄성을 높여주는 반면 가용성 아밀로펙틴의 양의 증가는 겔 형성 능력과 탄성을 낮추는 역할을 한다고 보고되었다. 75℃에서 산처리 60분 전분은 무처리 전분의 85℃에서의 값과 비교하여 용해도는 비슷한 값을 보였고 겔 크로마토그래피의 결과는 아밀로펙틴의 혼입이 거의 없는 것으로 보아 비교적 높은 겔 견고성의 결과를 기대할 수 있었으나, 75℃에서는 겔 견고성이 낮을 뿐 아니라 겔이 쉽게 부서지며 응집성도 나타나지 않았다고 한다.

이것은 75℃에서 전분립의 팽윤이 충분히 일어나지 않았고 가용성 아밀로오스의 분자량 분포 결과 작은 분자량의 비가 높게 나타났다고 한다. 전분의 응집성은 무처리 전분의 경우, 온다가 증가함에 따라 계속 증가하는 양상을 보였으며 산처리 전분은 85℃에서 가장 큰 값을 나타내었고 그 이후에는 응집성이 감소하였다. 따라서 전분의 겔 형성 능력은가용성 아밀로오스의 함량 뿐 아니라 가용성 아밀로오스와 아밀로펙틴의 비, 아밀로오스의 분자량, 남아있는 전분립들의 defotmable filler로서의 작용 등이 함께 영향을 미친다고 생각되는 바이다.

오디 농축액을 이용한 제빵특성에 관한 연구

1. 연구배경

최근 소득과 생활수준이 향상되면서 건강에 대한 일반인들의 의식 수준이 높아지고, 소비자들의 식품에 대한 구매패턴이 건강 지향적 이며 환경 친화적인 재료들이 새롭게 부각되고 있는 것으로 나타 나고 있다(성규병, 2006). 의학 기술의 발달로 평균수명은 연장된 반면, 식습관의 서구화와 생활 패턴의 변화로 비만, 간장 질환, 순 환기 질환과 류머티스성 관절염과 같은 만성 퇴행성 질환이 급증하고 있다 (김애정 외 4인, 2003). 또한 류머티스성 관절염에 대한 발생 원인으로 자유 라디칼의 과다생성으로 인한 염증이라는 설이 부분적으로 받아들여짐에 따라 항산화, 항염증효과를 지닌 식품섭취에 대한 소비자들의 관심이 높아지고 있다.

또한 고도 경제성장에 따라 식생활은 날로 향상되고, 다양하게 변화하고 있으며, 이러한 변화 중의 하나가 건강식품의 섭취증가이다 (채동진, 2006). 이렇듯 식생활의 다양한 변화에 따른 각종 성인병의 증가로 예방을 위해 생리 활성을 지닌 다양한 기능성 식품의 개발이 현대 식품의 주된 과제로 떠오르고 있고(Alexxander. B, 1985), 가공식품의 첨가물에 대한 안정성과 건강에 대한 의식변화, 식품소비 및 식품산업의 변화로 건강 지향적 식품개발이 다양하게 진행되고 있으며, 기호식품에 있어서도 건강유지를 위한 기능성 식품이 상품화되어 왔다(배종호 외 7인, 2005).

건강을 화두로 한 wellbeing은 업계를 불문하고 다양한 바람을 일으키고 있다. 이러한 현상은 유기농 식품, 친환경제품, 천연재료 제품, 비타민제 등이 인기를 모으고 있으며, 헬스케(healthcare), 요가(yoga)는 물론 심리적 안정을 루기 위한 명상(meditation), 아로마요법(aromatherapy) 등 wellbeing과 관련된 취미, 여가 문화가 대중적으로 확산되고 있는 실태를 보면 알 수 있다. 특히 1980년대 이후 LOHAS(Life styles of Health andSustainability) 소비문화가 확산되면서 유기농식품 및 식이요법시장은 현대에도 지속적으로 성장하고 있다. 이러한 연구와 기능성 식품이 발전해가는 추세로 보아 베이커리 업계에서도 건강재료를 사용한 제품들이 속속 등장하면서 wellbeing 현상에 일조하며 업계의 건강빵 확대와 건강빵을 찾는 소비자들은 계속해서 늘어날 것으로 보인다(김신영·박현정, 2004).

빵의 기원은 약 BC4,000년~5,000년 전으로 거슬러 올라간다. 처음엔 단순한 무발효 빵에 지나지 않았지만, 고대 이집트인에 의해 발효 빵이 탄생되었다. 그러나 고대인들에게 발효란 상세한 화학작용을 이해하고, 그것을 명명한다는 것은 상상도 할 수 없는 일이었다. 효모는 17세기에 이르러서야 레벤후크가 현미경을 통해 처음으로 발견하였고(하인리히 E. 야콥, 2005) 이러한 발효과정이 과학적으로 알려진 것은 비교적 근래인 1857년 Louse Pasteur에 의해서 였으며(Schwartz M, 2001), 오늘날에는 각 제품마다 사용 용도에 맞는 효모를 개발하여 이용하고 있다.

이렇듯 유구한 역사와 우리 인간과의 발전을 거듭한 빵은 중세와 근세를 거쳐 오늘날의 발전된 기계와 질적·기술적 진보가 이루어지게 되어 품질이 균일하고 맛있는 빵을 대량생산하기에 이르렀다. 최근엔 wellbeing 영향으로 식문화에도 고급화와 더불어 건강에 대한 관심이 커지면서 약품이 아닌 식품으로서, 맛보다는 인체 조절 기능에 초점을 맞춘 이른바 기능성 식품이 요구되어지고 있다. 특히 요즘에는 식품회사나 소비자 모두가 안녕을 위해 좋은 품질과 높은 기준으로 더욱더 건강에 대한 관심이 높아지고, 남들과는 차별화되며 좀 더 고급스러운 이미지를 지향하고, 어디서든 똑같은 맛과 풍미를 지닌 것보다는 독특하고 뛰어난 맛과 풍미를 가진 빵에 대한 관심이 높아지고 있다(안혜령, 2005).

과거의 건강빵이란 빈곤하고 가난한 시대에 단지 영양면을 강화한 빵류를 건강빵이라 하였으나, 현대에는 최소한의 당질을 사용하고 낮은 열량을 지닌 빵, 변비 등의 문제해결을 위해 식이섬유를 이용한 빵, 건강을 고려하여 배합률을 조정한 빵을 일컫는다.

이러한 사회적 배경을 토대로 본 연구에서는 기능성과 천연 색소로서의 사용 가능성을 가진 오디를 식빵에 접목시킴으로써 오디의 색과 독특한 향을 부가하여 식빵의 기호성을 높이고, 오디농축액의 당도를 이용하여 설탕을 사용하지 않는 새로운 식빵을 개발하고자 한다.

2. 연구목적
최근 식품과학 발전으로 다양한 신소재 식품이 등장하여 건강식품은 21세기 식품산업의 new paradigm 으로 등장하고 있다. 여기에 소비자들의 웰빙 의식의 증가와 self-medication 과 질병예방에 대한 중요성 인식과 인구의 노령화에 따라 평균수명보다 건강수명을 중시하는 트렌드에 따라 시장 성장이 예측된다.

식품의약품 안정청의 용어집에 의하면 기능성이란 "인체의 구조 및 기능에 대하여 영양소를 조절하거나 생화학적 작용 등과 같은 보건 용도로 유용한 효과를 얻는 것"을 말한다. 그러나 기능성 식품에 대한 외국의 뚜렷한 정의는 없으며, Institute of Food Technologiste(IFT)에 의하면 기초 영양 이외에 건강에 관한 이익을 제공하는 식품이나 식품성분을 말한다(이광석, 2006).

건강기능식품은 불규칙한 식생활, 영양의 불균형, 인구의 고령화 등으로 일상의 식생활에서 부족하기 쉬운 영양을 보급하여 국민의 영양 상태를 개선하고, 건강에 유용한 기능성분을 보급함으로써 인체의 기능 및 구조에 영향을 주어 국민건강증진 및 삶의 질을 향상시키는데 도움을 준다(허석현, 2007). 또 건강기능식품에 대한 정의는 각국의 식생활, 식습관, 영양상태 등에 따라 다르지만 우리나라에서는 "건강기능식품"이라함은 인체의 유용한 기능성을 가진 원료나 성분을 사용하여 정제, 캡슐, 분말, 과립, 액상, 환 등의 형태로 제조 가공한 식품을 말한다(한명규, 2003).

우리나라의 건강기능식품법 역시 이들 건강기능식품개발에 대한 업계의 연구와 개발을 활성화하고 양질의 안전한 건강기능식품의 제조, 소비를 도모함으로써 장기적으로는 국민의 건강을 증진하고 국민의 의료비부담을 절감하는 보건정책상의 목표를 지향하고 있다(허석현·김영전, 2003).

기능성 식품의 중요성 및 발전가능성은 미국 100대 주요 식품기업체의 CRO(Chief Research Officers)의 설문조사결과(Food Technology, 2000)에서 잘 나타난다.

가장 중요하다고 지적한 연구 분야 중 첫째로 꼽는 것은 건강식품 개발과 둘째는 nutraceutical, medical food(기능, 의료식품)의 개발이며, 셋째는 가공관점에서의 식품안전, 천연식품이 있다.

1998년 국제식품정보위원회(International Food Information council)에 의하면 1000명을 대상으로 한 조사에서 응답자의 95%는 특정한 음식이 질병 위험도를 줄여서 건강을 증진 시킬 수 있다고 믿고 있는 것으로 나타난 사실이 이를 뒷받침해주고 있다(Schmidt D, 1999). 그리고 암과 심혈관계 질병은 식이패턴과 아주 밀접하게 관련이 되어 있으며(Clare M. Hasler, 2003), 모든 종류의 암 30~40%는 적절한 식이에 의해서 예방되어 질수 있다고 하였다.

최근 미국의 건강기능식품교육협회(DSEA)의 설문조사 결과는 시사하는 바가 크다. 설문조사결과에 따르면 2008년부터 2012년까지 미국의 의료비 절감이 약 240억 달러 이상으로 집계되고 있다. 특히 칼슘과 비타민D의 섭취로인한 의료비 절감효과는 향후 5년간 고관절로 인한 입원건수가 78만 여건의 방지효과로 약 161억 달러에 달한다.

이에 따라 사람들은 질병의 치료에서 질병의 예방과 건강 유지 및 건강 증진으로 관심의 초점이 바뀌게 되었다. 질병을 예방하고 건강을 증진시키기 위해서는 식습관뿐만 아니라 선천적 체질, 운동, 스트레스 해소 등이 중요하지만 날마다 먹고 있는 식품에서 오는 원인이 절대적으로 크기 때문에 의식동원의 식품에 대한 정확한 정보를 얻는 것은 매우 중요한 일이다.

이러한 요구를 반영한 wellbeing trend에 부합하여 기능성 식품의 연구가 욱 다양하게 이루어지고 있고, 최근 식생활 형태의 변화에 따라 우리나라에서도 다양한 형태의 빵이 소비되고 있으며, 건강식품 및 성인병 예방 식품에 한 관심이 높아지면서 천연 기능성 물질을 첨가한 다양한 빵과 머핀, 쿠키에 한 기능성연구가 발표되고 있다(박성희·임성일, 2007).

Table 1. 에서는 이러한 연구의 진행을 보여주고 있다.
그 외에도 많은 식재료의 이용이 발표되어지고 있으며, 특히 우리 재료를 이용한 제과 제빵의 연구가 활발히 진행되어지고 있어, 다양화 추세에 있는 우리나라도 wellbeing 열풍이 이어지면서 빵 문화도 새롭게 바뀌고 있어 빵 한 개를 사더라도 소재와 성분을 따지는 사람들이 부쩍 늘면서 갖가지 소재를 이용한 제품이 인기를 끌고 있으며(월간 베이커리, 2004), 미국의 건강빵과 케이크나 쿠키에 있어서도 지방분을 제거한 저지방제품과 설탕대신 농축과즙으로 단맛을 낸 제품이 늘고 있다.

그러나 오디는 우수한 기능성과 천연 색소로서의 사용가능성을 가진 식품이지만 크기가 작고 수분함량이 높아 수확작업이 어렵고, 유통 중 부패하기 쉬우며 저장 또한 어려워 생식으로 판매하기 매우 까다로워 이를 극복한 다양한 가공식품 개발이 필요하다(정기태 외 2인, 2005).

취급의 불편함으로 인한 그동안의 일반적인 오디의 사용범위는 잼, 젤리, 주스, 시럽 및 술 등의 가공식품 재료로 이용되거나 천연염료제로 의류 및 화장품 산업에 소량 이용되어 왔을 뿐 그 이용이 극히 제한적이었다. 그러므로 제과제빵 제품 중 가장 대중적인 식빵과 접목시켜 오디의 색과 독특한 향을 부가하여 기호성을 높이고, 새로운 식빵으로서의 개발을 할 필요성이 있다고 여겨진다.

본 실험에 사용된 오디농축액은 그동안의 유통이 쉽지 않았던 오디와는 달리 일반 식빵제조에 용이한 저장성과 물성을 가지고 있으며, 설탕을 대신 하여 농축과즙으로 당도를 낸 이번 연구에는 설탕을 넣지 않고, 식빵의 맛과 당도를 유지하면서 오디농축액의 부재료를 최대한 사용하여 기능성을 증진시킨 식빵을 만들어 보고자 하였다. 그리고 오디농축액을 첨가한 식빵의 제빵적성과 특징을 살펴보고, 관능검사를 통하여 오디농축액 첨가 식빵의 활용가능성 및 전반적인 사용범위를 알아보고자 한다.

Table 1. Confectionery related thesis

논문제목	발표자	연도
채소혼합분말을 이용한 베이커리제품	김성호	2005
흑미주를 이용한 식빵	이현정	2004
우리 밀을 이용한 한국형 사워빵	안혜령	2005
마가루를 첨가한 스폰지케익	오성천 외 2인	2002
부추를 첨가한 식빵	정현실 외 3인	1999
홍삼분말을 첨가한 식빵	김나영·김성환	2005
감자 즙을 첨가한 식빵	한경필 외 6인	2004
뽕잎을 이용한 머핀	안창순·여정숙	2004
청국장물을 추출하여 만든 빵	이예경 외 3인	2004
키토산과 청국장을 이용한 깊펠쿠키	이예경 외 3인	2005
김치분말첨가 식빵	기미라 외 2인	2005
대추추출액을 첨가한 빵	이주현 외 2인	2005
발효차가루첨가 식빵	김정란 외 2인	2005
홍국분말을 첨가한 머핀	박성희·임성일	2007
솔잎가루첨가 찜케이크	곽성호	2006
누에가루 첨가 반죽의 물성변화 및 빵의 품질특성	김영호	2005
곶감 열수추출물을 첨가한 식빵의 품질특성	문혜경, 외 5명	2004

[참고문헌: 경희대학교 관광대학원 석사학위논문 中]

3. 연구방법

본 연구에서는 오디농축액을 사용한 식빵을 제조하여, 제품의 제빵 특성을 분석하였고, Fig. 1은 본 연구에 사용된 실험의 전 과정을 나타낸 것이다. 식빵의 제조는 (AACC method 10-10A) 에 의거하여 제조하였다.

발효율은 강(2004)의 연구 방법을 이용하여, 각각의 시료를 반죽한 후 100mL의 메스실린더에 10g의 반죽을 넣어 30분마다 발효율을 측정하였고, 각각의 반죽마다의 pH를 3번씩 측정하여, 그 평균값을 구해 통계를 냈으며, 색도계를 이용한 오디의 양에 따른 반죽의 색도변화를 나타내었다. 또한 stickiness를 조사하였고, mixograph를 통한 반죽의 특성, TPA를 이용하여 대조구와 시료를 넣은 제품의 특성분석을 하였으며, 오디농축액 첨가비율에 따른 맛, 기공, 조직, 향, 질감, 껍질색 등을 대조군과 비교하기 위해 관능평가를 실시하였다.

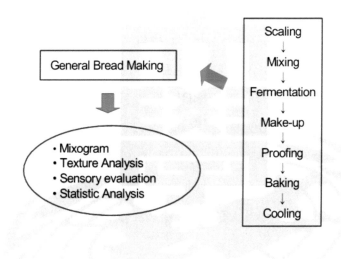

Fig. 1. Procedure for analysis of bread with mixed mulberry extract

◈ 문헌고찰

1. 뽕나무의 분류학상 위치와 분포

뽕나무는 뽕나무과(Moraceae)에 속하는 교목성 낙엽수로 온대에서 아열대에 이르기까지 널리 분포하며, 분포밀도가 가장 높은 곳은 동아시아의 한구, 중국대륙 및 일본열도이다(김현복 외 2인, 2005). 현재 우리나라에서 재배되고 있는 품종은 산상계(Morus bombysis Koidz), 백상계(Morus alba L.), 노상계(Morus Lhou Koidz)가 있다. 이외에도 흑상(Morus nigra L.) 및 인도상(Morus indica L.)을 포함하여 130여종의 품종이 세계적으로 존재한다.

뽕나무는 본래 열대지방에서부터 온대지역에 걸쳐 널리 분포하는 것으로 알려져 있다. 자연적인 분포지역은 아시아의 남동부와 일본열도, 자바 수마트라제도, 아라비아의 동남부 및 서부아프리카 등이고, 대체로 북위 50°부터 남위10°사이의 북반구에 많이 분포하고 있다. 유럽에는 뽕나무의 원산지가 없고, 현재 대부분의 뽕나무 품종은 아시아에서 수입된 것이다. 우리나라의 경우 충북 보은, 강원 원주, 경북 상주 및 전북 완주와 정읍 등에서 주로 뽕나무를 재배하고 있다.

2. 한방에서의 뽕나무의 기능성

상심자(桑椹)라 하여 뽕나무 열매로서 한방에서 상심(桑椹), 상실(桑實), 오심(烏椹), 흑심(黑椹) 등으로 지칭되며, 뽕나무과(Mora ceae)에 속하는 봉나무의 성숙한 과실이다(김현복 외 2인, 2003). 봉나무의 뿌리와 껍질은 이뇨제 등으로 한방에서 널리 이용되어 왔고. 봉잎의 일반적인 화학적 조성 봉나무 열매인 오디는 내장, 특히 간장과 신장의 기능을 좋게 하며, 갈증을 해소하고 혈액순환을 돕고 신진대사를 활발하게 해서 저혈압, 불면증, 건망증 해소에 좋은 효과를 보인다(농촌진흥청 농촌생활연구소). 또한, 조혈작용이 있어 관절을 부드럽게 하며 류머티즘 치료에도 이용되고(조미자·김애정, 2007), 완화제의 작용을 하며 중풍 예방에 유효한 화학물질을 함유하고 있다.

이외에도 귀와 눈을 밝게 해주고 기침, 천식에 효과가 있으며, 미네랄 성분이 풍부해 강장제로 알려져 있다(김현복 외 2인, 2003). 그리고 오디는 강장제나 진정제로 사용된 예가 있고, 부종억제, 숙취제거, 소갈증제거, 대머리 예방 및 치료 등에 사용된 것으로 기록되어 있으나, 현대의학에서의 오디는 혈당강화작용에 대한보고만 있을 뿐이었다(김현복 외 3인,2001).

옛 의서에 의하면 오디는 달고, 차고 독이 없고 이것만 먹어도 소갈(消渴:당뇨와 비슷)을 치료하며, 오장과 간장을 이롭게 하고 혈기를 통하게 한다고 되어 있다. 또한 오래 먹으면 허기지지 않고 백발이 검게 변하고 노화를 방지한다고 하고 있다. 또한, 오디가 간장과 신장을 보익(補益)하고, 음혈(陰血:남녀의 성기능)을 길러주는 효능이 있고, 양혈거풍(養血祛風 ; 혈을 깨끗이 걸러 풍을 제거하는 하는 작용)이 있다고 보고하고 있다(화한약백과도감). 오디를 이용해서 술을 담았다 마시면 풍열(風熱:얼굴이 붉어지고 목이 뻣뻣하며 어지러운 증상)을 다스릴 수 있다고 보고하고 있으며(전국 한의과대학 본초학교수공저편1991), 동의보감 탕액편에도 오디는 오장을 보하며 귀와 눈을 밝게 하며 즙을 내어 술을 만든다는 기록이 있다.

3. 오디의 영양학적 특성
1) 뽕나무의 이용
뽕나무는 버릴 것이 조금도 없는 귀한 약나무이다. 동의보감은 56 군데, 중국의 본초강목은 무려 177군데서 뽕에 관한 내용을 다루었다. 열매인 오디 뿐만 아니라 잎, 가지, 뿌리에서부터 뽕나무 잎을 먹고 자라는 누에, 누에가 만든 비단, 뽕나무에 기생하는 상황버섯까지 뽕나무의 모든 것이 우리에게 훌륭한 민간약재로 이용되어 왔고, 번데기는 허약체질을 개선하는 영양제, 누에와 나방은 기혈을 보강하는 정력제로 이용되어왔다(구관모, 2006).

특히 뽕나무의 잎은 최근 항암, 노화방지 및 항산화 효과와 같은 생리활성이 매우 높은 것으로 밝혀짐에 따라 이에 대한 중요성이 부각되고 있는 β-carotene, chlolrophylls, isoquercitrin, lutin, β-neocarotene, xanthophyll등과 같은 색소도 3%이상 존재하며, 다양한 영양성분을 함유하고 있기 때문에 영양학적으로 완벽한 식품으로 응용할 수 있다(김선여, 1999).

봉잎은 매우 다양한 성분을 함유하고 있다. 50여종의 각종 무기성분이 함유되어 있음이 분석되었으며 특히 Ca, K과 Fe함량이 매우 높으며, 아미노산은메치오닌(Methionin)등 21종이 함유되어 있다. 또한 구와논(Kuwanon)등 유기성분이 59종이상 함유되어있음이 분석되었다.

이들 유기성분은 봉잎과 상백피에서 처음으로 확인된 것이 상당수에 이르고, 그 때문에 이름은 있어도 아직도 그에 대한 기능성은 밝혀지지 않은 성분이 많다. 그 중에서 기능성이 밝혀진 성분은 Table 2에서와 같이 루틴(Rutin)은 모세혈관강화(중풍의 예방)에 가바(GABA), 모라세닌(Moracenin), 상게논(Sanggenone)은 혈압을 떨어뜨려 주고, 모라신(Moracin),모라신(Damoracin),촬코모라신(Chalcomoracin)등은 항균작용에, 움벨리페(Umbelliferone)은 염증을 없애주고(소염작용), 모루신(Morusin)은 항종양에, 데옥시노지리마이신(Deoxynojirimycin(DNJ)), 칼리스테진(calystegin B$_2$) 등은 당뇨병에 효과가 있는 것으로 밝혀졌다.

이밖에 항알레르기, 탈모억제, 동맥경화, 비만억제 등에 효과는 확인되었지만 어떤 성분에 의해서인지 아직 밝혀져 있지 않다(이완주외 2인,2003). 그리고 봉나무 뿌리의 껍질인 상백피에도 혈압을 낮추는 작용을 하는 구와논(Kuwanon)이 들어 있으며, 상백피로 만든 술은 기침을 멎게하고, 담을제거하며, 이뇨와 부종에 좋은 약용주이기도 하다.

봉나무 가지나 상백피를 달여 농축한 즙으로 빚은 봉가지 술은 중 풍, 오체마비, 각기, 기침에 효험이 있다고 한다. 봉잎을 먹는 누 에 역시 인간에게 이로운데, 조단백질 함량이 높은 누에는 혈당강 하 효과가 있고, 누에의 똥인 잠분은 당뇨, 세포 재생, 장의 정화 등에 효과가 있다(이완주, 2003).

Table 2. Natural active ingredients of mulberry leaves and medical effects

관련물질	약리 효과
Rutin	혈관강화
GABA	혈압강하
Kuwanon	항세균, 혈압강하
Mulberrofuran	혈압강하
Moracenin	혈압강하
Sanggenone	혈압강하
Moracin, Damoracin, Chalcomoracin	항균작용
Umbelliferone	소염작용
Morusin	항종양
Deoxynojirimycin(DNJ),N-Me-DNJ GAL-DNJ,DAB, Calistegin,fagomine	항당뇨
Flavonoid	항산화(항노화)
Unknown compound	항알레르기
Unknown compound	탈모억제
Unknown compound	동맥경화
Unknown compound	비만억제

이완주, 뽕잎·누에·실크건강법, 도서출판 서원, 1998

그러나 뽕나무의 과실인 오디는 식용면에 있어서는 침출주 제조용으로만 그 이용이 한정되어 왔지만(농촌진흥청 농촌생활연구소), 요즘은 술과 쨈을 만들어 판매하고 있는 것과 이 밖에 시럽, 젤리, 천연색소 등으로 개발 가능성이 매우 크다.

이렇듯 오디의 기능성 및 천연색소 자원으로서의 유망성과 소비자의 관심과 수요에 부응하기 위한 연구가 수행되어져야 하고, 오디의 신경세포 보호활성과 항균활성 등 오디 추출물의 효능과 기능성 및 이용성을 증대시키고(김현복 외 4인, 2005), 인슐린 비의존성 당뇨병에 대하여 항 당뇨효과를 가진 기능성 식품을 개발 할 수 있는 가능성을 시사하며(김태완 외 6인, 1996), 오디의 다양한 기능성과 더불어 아미노산을 함유하는 천연 식품 소재이므로 이제부터는 건강기능제품의 재료로 활용하여 이용성을 증대시키면 국민의 건강증진은 물론 농가의 소득 향상에도 크게 기여할 수 있을 것이다(김현복 외 2인, 2004).

2) 오디의 일반적인 특징

오디는 취화과(聚花果)에 속하며 작은 수과(瘦果)가 많이 모여 이루어진 장원형으로 길이 1~2cm 지름 0.5~0.8cm 이며 황갈색, 갈홍색 또는 암자색을 띠고 짧은 줄기가 있다). 한방에서의 오디는 산뽕나무의 열매로 지름은 약 2cm로 처음에는 녹색이다가 검은빛을 띤 자주색으로 익는다. 익으면 즙이 풍부해지며, 당분이 들어 있어 맛이 새콤달콤하고 신선한 향기가 난다.

성분으로는 포도당과 과당, 시트르산, 사과산, 탄닌, 펙틴을 비롯하여 비타민(A, B1, B2, D), 칼슘, 인, 철 등이 들어 있고, 강장제로 알려져 있으며 내장,특히 간장과 신장의 기능을 좋게 한다(김애정 외 4인, 2003). 지금까지 뽕나무는 누에사육을 위한 뽕잎 생산용으로 주로 이용되어 왔으며 주로 뽕잎 생산에 많은 연구가 수행되어 왔다. 누에를 사육하기 위한 뽕잎 생산용에서는 열매는 필요하지 않은 특성의 하나로 간주되어 왔으므로 오디가 적게 달리는 품종으로 선발 육성되어 왔다(성규병, 2006).

옛날에는 아이들이 뽕나무에 올라가 입을 까맣게 물들여가며 새콤달콤한 오디를 따먹었다. 그러나 단순히 맛으로 또는 배고픔을 견디려고 먹던 오디가 심신을 맑게 하고 변비를 해소해주며 심지어 뇌 신경쇠약을 없애주는 놀랄 만한 약효가 있다는 사실을 아는 사람은 많지 않다(구관모, 2006). 오디는 양잠용으로 재배되어온 뽕나무의 과실로, 뽕나무의 잎은 고품질의 누에고치 생산을 위한

누에 먹이로써 중요시 되어 왔을 뿐만 아니라, 항 당뇨효능(김현복 외 2인, 2004), 노화억제, 당뇨병성 망막장애의 치료 및 시력개선 효과, 항산화작용 등 다양한 생리활성을 갖는 것으로 최근 보고되고 있고(김현복 외 2인, 2002), 최근의 오디 영양성분 분석 결과 일반 과실에 비하여 영양성분이 풍부하고 그 질도 높은 편으로 후지사과에 비하여 칼슘이 14배, 칼륨이 2배, 비타민C가 18배 높고, 감귤보다는 비타민C가 1.5배 높다고 보고되었다.

Table 3은 FAO (Food and Agriculture Organization of the UnitedNations)와 WHO(World Health Organization)에서 규정하는 비타민과 무기질의 권장량을 나타낸 것이며, 이를 통하여 영, 유아에서 성인에 이르기까지 다양한 비타민과 각종 무기질이 필수적으로 필요함을 알 수 있다(한국영양학회,2000).

Table 3. Daily allowance of Vitamins and minerals by FAO/WHO

Age	Vit. A (μg retinol)		Folc acid μg		Vit B$_{12}$ μg	Vit C mg	Vit D μg	Iron μg/kg		Zinc mg	
	man	women	man	women				man	women	man	women
babyhood (a month)											
0~3	350		16		0.1	20	10	120		3.1	
4~6	350		24		0.1	20	10	120		3.1	
7~9	350		32		0.1	20	10	120		2.8	
10~12	350		32		0.1	20	10	120		2.8	
child & adult (years)											
1~2	400		50		1.0	20	10	56		4.0	3.9
3~4	400		50		1.0	20	10	44		4.0	3.9
5~6	400		102		1.0	20	10	40		4.0	3.9
7~10	400		102		1.0	20	2.5	40		4.0	3.9
11~12	500		102		1.0	20	2.5	40		7.0	6.6
13~14	600		170		1.0	30	2.5	34	40	7.0	6.6
15~16	600	500	170		1.0	30	2.5	34	40	7.0	5.5
17~18	600	500	200	170	1.0	30	2.5	34	40	7.0	5.5
19+	600	500	200	170	1.0	30	2.5	18	43	5.5	5.5
Pregnant woman	600		370 ~ 470		1.4	50	10			6.4 ~ 7.5	
Lactation	600		270		1.3	50	10	24		13.7	
After climacteric	600		170		1.0	30	2.5	18		5.5	

한국영양학회. 2000

Table 4. Comparison of nutrition factors of other berries

과실명	에너지 kal	회분	단백질 %	지질 (%)	당질 (%)	섬유소 (%)	Fe (mg%)	Vit.A (R.E.)	Vit.B$_1$ (mg%)	Vit.C (mg%)
(native) Mulberry[1]	50	84.2	**2.6**	0.3	9.3	**2.7**	**2.3**	8	1.47	5
(Improved) Mulberry[1]	46	87.2	1.6	0.2	9.4	0.9	2.0	9	1.30	4
Strawberry[2]	26	91.5	0.8	0.2	6.2	1.0	0.4	2	0.02	82
Blueberry[3]	52	84.6	0.7	0.4	12.8	1.3	0.2	10	0.05	13
Raspberry[4]	22	91.2	1.3	0.4	4.0	0.7	0.6	17	0.02	28
Campbell's early[4]	59	83.7	0.5	0.3	15.1	0.2	0.5	5	0.03	8

[1] 농촌진흥청. 2003
[2] 농촌진흥청. 1993
[3] USDA(United States Department of Agriculture). 2000
[4] 식약청. 1996

Table 5. Other available ingredients

과실명	칼슘 (mg)	인 (mg)	철 (mg)	나트륨 (mg)	칼륨 (mg)	Vit.A (μg)	Vit.B$_2$ (mg)	나이아신 (mg)
(native) Mulberry[1]	61	31	2.0	17	203	55	0.11	0.3
(Improved) Strawberry[2]	7	30	0.4	13	167	0	0.17	0.5
Blueberry[3]	6	10	0.2	6	89	10	0.05	0.4
Raspberry[4]	21	31	0.6	2	130	0	0.03	0.4
Campbell's early[4]	4	29	0.5	108	0	0	0.02	0.5

[1] 농촌진흥청.1993
[2] 농촌진흥청.2003
[3] USDA(United States Department of Agriculture) 2000
[4] 식약청.1996

Table 4와 5.에서 보듯 오디는 산딸기나 포도에 비해 단백질 함량이 4~5배 높을 뿐만 아니라, 산딸기와 같은 과실에 비하여 섬유소, 철분, 비타민B1의 함량이 높은 고영양 과실이며, 다량의 glucose와 fructose를 함유하고 있고, oxalic acid와 citric acid도 함유하고 있다(유선미·장창문, 1996), (농촌생활연구소, 1994). 또한 그동안의 오디에 대한 연구로는 항당뇨 효능(김태완·권영배, 1996)과 혈청 콜레스테롤 억제 효능 등이 있는데, 다양한 생리 활성 효능은 오디에 포함되어 있는 안토시아닌 색소와 관련이 높다고 알려져 있다.

3) 오디의 anthocyanin

이렇듯 오디가 높은 약리효과를 가지고 있음이 밝혀지고, 소비자들의 천연색소에 대한 관심이 높아지면서 오디의 안토시아닌 색소를 추출하여 식품가공용 천연색소나 화장품 등에 이용하고자 하는 연구가 활발히 진행되고 있다(정기태외 2인, 2005).

뽕나무 열매인 오디는 색소를 다량 함유한 과실로 포도나 사과와는 달리 과피뿐만 아니라 과육에도 색소를 함유하고 있다는 것이 특징이다(강창수 외3인, 2003). 오디의 풍부한 기능성 천연색소인 안토시아닌의(anthocyanin)양 이170.47mg/100g으로 포도의 48.57mg/100g, 사과의 7.07mg/100g에 비해 오디에 현저히 많은 것으로 보고되고 있다(고광출, 1994).

안토시아닌 색소는 식물학적으로 각종 곤충, 조류 등을 유인하여 화분의 수분 및 종자의 확산에 기여할 분만 아니라(김현복 외 5인, 1999), 노화억제, 당뇨병성 망막 장애의 치료 및 시력개선 효과 항산화 작용 등 다양한 생리활성을 갖는 것(최희영, 2005)으로 최근 보고됨에 따라 인체에 무해한 천연색소 및 기능성 소재로 각광받고 있다(김현복 외 2인, 2002).

오디는 주로 안토시아닌계통의 색소를 가지고 있으며 그 성분은 C3G(cyanidin-3-glucoside)와 (cyanidin-3-rutinoside)가 대부분인 것으로 알려져 있다.

안토시아닌은 플라보노이드류의 일종으로 항암제, 소염제, 항알러지제, 면역증강제, 항바이러스제 등의 생리활성이 있는 것으로 밝혀졌다(박세원외 2인, 1997). 오디 및 블랙베리에 들어있는 안토시아닌인 C3G(cyanidin-3-glucoside)는 노화를 억제하는 항산화 색소이다. C3G는 토코페롤(Vit. E)보다 노화억제 효과가 5∼7배나 강하며, 오디의 C3G 최고 함량은 1.27%로 포도의 23배, 유색미의 2.3배에 달한다.

C3G는 활성산소를 제거하여 뇌의 노화 및 신체의 노화를 예방시켜주며, 망막장애 치료 및 시력개선에도 효과가 있다. 또한 마우스 피부의 종양세포의 성장을 지연하고 인간 폐암 세포의 성장과 체내이행을 줄인다는 보고가 있다(김현복 외 4인, 2005). 다른 연구에서는 고지혈증 유도 흰쥐 실험을 통하여 천연색소 성분인 C3G가 불포화지방산인 리놀레산(linoleic acid)의 상승작용에 기인하여 혈중 콜레스테롤과 중성지질의 함량을 떨어뜨린다는 보고도 있다(김현복 외 4인, 2001).

이와 관련하여 봉나무 열매인 오디는 최근 다양한 기능성 성분 및 효능이 알려지면서 기능성 식품 및 국민건강증진에 기여할 수 있는 천연식품 소재로 보고 되어왔다(김현복 외 2인, 2004).

4. 세계의 기능성 식품

건강기능식품의 세계현황은 통계기관별로 다소차이가 있으나(이철수, 2005), 세계의 건강 기능성식품의 현황은 Fig 2. 를 보면 알 수 있듯이, 1997년도 650억 달러 규모였던 세계 건강기능성 식품시장은(강신욱, 2006) 2000년에는 1,380억 달러로 지난 3년간 2배 가까이 늘어났으며, 매년 10% 이상씩 성장하여, 2007년에는 3,771억 달러에 도달할 전망이다.

또한 국가의료비 증가에 따른 국가부담 가중, 노령화 사회 진입, 소비자의 건강관심고조, 식품산업계의 신제품 개발 방향 등을 고려할 때 건강기능식품의 수요는 지속적으로 증가될 것으로 전망되고 있으나(이철수, 2005), 한국의 건강기능식품 시장규모는 1억불 수준으로 일본에 비하여 현저히 낮은 수준이다. 그러나 미국, 유럽, 일본이 세계시장의 88%의 점유율을 차지하는 것을 보면 산업화된 선진국들 중심으로 건강기능식품이 발달되고 있음을 알 수 있다(이종원·도재호, 2005).

또한 향후에도 건강기능식품의 시장은 토양의 산성화와 가공식품 의존으로 식탁에 오르는 식품의 영양가치가 낮아지면서 음식만으로 섭취하기 어려운 부족한 영양소를 보충해주는 건강기능식품에 대한 수요는 계속 증가할 수밖에 없고(신한 FSB), 소비자들의 인식도 변할 뿐만 아니라, 그와 함께 국내시장 규모도 확대될 것으로 보여 앞으로의 가능성이 기대된다.

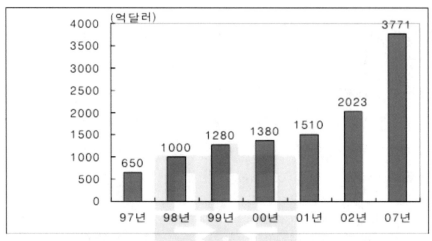

Nutrition Business Journal. 2003

Fig 2. Current status of world's health functional food

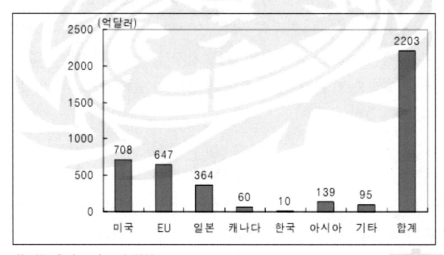

Nutrition Business Journal. 2003

Fig. 3. Market volume of health functional food for each country

1) 한국의 기능성 식품시장

우리나라는 81~91년을 도입기를 거처 90년대 IMF 시기에 잠시 마이너스성장을 보인 이후 지금까지 성장을 거듭해 오고 앞으로 2~3년 내에 성숙기로 진입할 전망이다(이상윤, 2007). Fig 4. 한국인의 기능성식품의 섭취요인을 보면 우리나라에서는 피로회복과 영양보충을 위해 섭취한다는 답변이 74%가 넘으며 스트레스 감소와 면역 증진과 골관절 건강을 위해서가 14~17%이고 기타 비만, 간 기능, 혈압 조절을 위한 섭취가 6~9%로 나타났다(이상윤, 2007).

Fig 5. 는 한국의 연도별 건강기능식품의 매출 현황이다. 1994년 8,500억원에서 2003년에 1조 7,000억 원으로 약 2배 정도로 신장하였다. 그러나 2004년도 1조 5,000억 원으로 약 2,000억 원 감소한 이유는 2004년도에는 각 업체에서 건강기능식품법의 탄생으로 그 법률에 대비한 법적기준과 각 제품에 광고규제 등으로 매출액이 감소되는 경향을 보였다(강대일, 2004).

그러나 최근 국내 건강기능식품 시장도 2005년 1월을 기점으로 매월 급격한 성장 추세를 보이고 있으며(이종원·도재호, 2005), 이미 2006년에는 2조5천억 원의 시장규모로 성장해 있으며, 2007년에도 일부 품목군의 성장과 수입 제품의 증가와 신규시장에 참여하는 업체증가로 10% 이상의 상승 성장이 기대되고 있다(이상윤, 2007).

한국의 제과제빵 프랜차이즈는 꾸준한 매장증설과 wellbeing 상품에 주력하고 있고, 2007년 한해 마케팅 전략을 '건강'이라는 주제에 맞추어 진행하고 있으며, 몸에 이롭고 건강에 도움이 되는 각종 식재료를 활용한 제품들이 선보이고 있다(비엔씨월드, 2007).

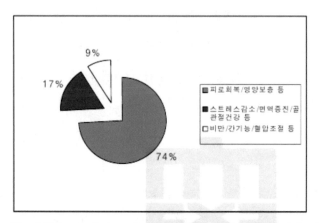

Fig. 4 Primary factor of consuming health functional food for a Korean

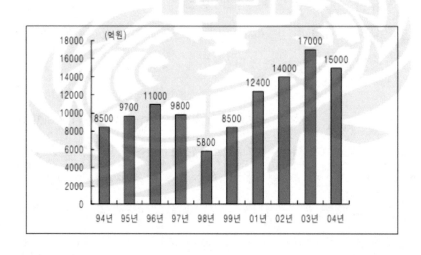

Fig. 5. Annual sales of health assistance functional food in Korea

2) 미국의 기능성 식품시장 미국의 기능성식품 섭취요인의 경우는 Fig. 6으로, 우리나라와는 달리 76%이상이 비만 개선과 콜레스테롤, 당뇨 등을 위해서 섭취하며, 기타로는 에너지공급, 골다공증, 심장질환, 관절염, 시력장애 등을 개선하기 위함으로 나타났다.

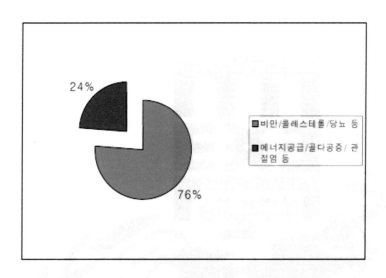

Fig. 6. Primary factor of consuming health functional food for an American

미국 건강식품시장은 매년 6%이상의 성장률을 보이고 있으며, 향후 10년간 5%이상의 지속적인 성장이 예상되고, 시장규모는 2002년 약 560억 달러에서 2005년에는 800억 달러를 넘어섰다 (이상윤, 2007).

3) 일본의 기능성 식품시장

Fig 7. 는 일본의 기능성식품 섭취요인으로, 우리나라와 유사하게 피로회복과 자양강장을 기대하고 섭취하는 답변이 60% 이상이었고, 기타 혈행개선, 다이어트, 미백효과를 기대하는 경우와 알레르기나 해독, 골다공증예방의 섭취가 40%로 나타났다.

일본 건강식품시장은 2005년 1조 2850억 엔(일본건강산업신문, 2005), 2010년에는 시장규모를 3조 2000억 엔 규모가 될 것으로 예측하고 있으며, 기능성식품이 21세기 건강산업의 주역이 될 것으로 전망하고 있다(이종원·도재호, 2005), (최선례, 2005).

일본의 기능성 건강식품의 성장요인으로는 고령화가 진행되어 2025년 65세의 고령화 인구가 전체인구의 25% 이상 되고, 생활습관의 변화에 의해 식이에 의한 1차 예방의 중요성 인식이 소비자 구매형태를 변화시켰기 때문이라 요약할 수 있다.

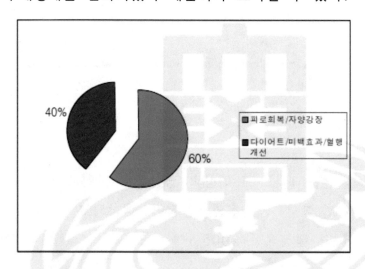

Fig. 7. Primary factor of consuming health functional food for Japan

◈ 재료 및 방법

1. 실험재료

제과제빵을 다루는 데에는 여러 가지의 재료들을 사용해야 하며, 이 재료들 하나하나는 각각의 특성을 가지고 서로 연관되어 하나의 제품을 만들게 되며(이광석, 1997), 좋은 품질의 제품을 만들기 위해서는 사용하는 재료의 종류와 양에 따라서 많은 영향을 받으며 각 재료의 품질을 유지 할 수 있는 재료의 품질관리 및 선택이 매우 중요하다(Labuda I 외 2인, 1997).

오디 식빵을 만들기 위해서 사용된 오디 농축액의 제조방법은 오디(타지키스탄의 건조 청오디를 이용)를 이물질을 제거한 후 추출기에 넣고 7배의 정제수를 넣어 90℃에서 10시간 추출한 뒤 이 추출액을 100micrometer로 여과하여 불용성 침전물 등 이물질을 제거하고 진공농축기에서 70cmHg로 감압, 60℃이하에서 고형분의 함량이 55% 이상이 될 때까지 농축하여 만든다.

실험재료는 오디농축액(가야무역, 타지키스탄100%)과 강력밀가루(큐원, 삼양사), 마가린(웰가, 버터랜드free), 분유(조은, 우유밀), 제빵개량제(EXCEL(주)선인), 소금(한주소금), 달걀, 이스트(엔젤)와 우유(축협)가 사용되었다. 예비실험에서의 오디식빵은 오디 농축액을 배합 밀가루양(1000g)의 13%(130g)와 30%(300g)의 오디농축액을 각각 첨가하여 제품을 만들었다.

오디농축액의 13%함유 식빵의 풍미는 대조군과 비교하여 차이가 없었지만, 오디농축액 첨가로 인한 반죽과 제품의 색이 진했다. 오디농축액 30% 함유식빵의 경우 대조구와의 같은 조건에서는 1 차 발효가거의 진행되지 않았으며, 반죽 또한 질어져 빵을 만들기에는 적합하지 않았다.

오디농축액의 첨가가 반죽의 질기에 영향을 주는 것으로 사료되어 오디농축액을 수분분석기(Moisture analayser, MB45 Ohaus, Switzland)의 할로겐방식으로 Fast 120℃ A60의 조건으로 3회 측정한 결과 오디농축액의 수분함량이 35.85% 로 나타났다. 그러므로 수분함량의 무게를 고려하여 첨가되는 오디 농축액이 많아질수록 그만큼의 수분의 양을 줄여 실험을 해야 했다.

즉, 오디농축액100g을 넣으면 약35.85(36g)을 5:5비율로 우유와 물에서 18g씩을 각각 빼주는 방법을 이용하여 수분조절을 하였다.

2. 실험방법
1) 식빵의 제조
오디식빵의 제조는 기본 식빵에 들어가는 설탕100g을 오디농축액으로 대체하는 방법으로 강력분100%에 대해 오디농축액을 10%, 15%, 20%, 25%로 사용하였으며, 배합비는 Table 6.에 있는 배합으로 하였고, 제조공정은 Fig 8.와 같이 직접반죽법(AACC method 10-10A)으로 제조하였다. 일반재료의 계량은 전자저울

(CAS,AD-05)을 사용하였고, 재료의 양은 적지만 큰 변수가 생길 수 있는 재료의 계량은 소수점까지 계량되는 전자저울(CAS, MW 1200)을 사용하였다. 반죽방법은 밀가루 등의 건재료는 가는 체를 이용하여 2번 체질하여 혼합하고 유지를 제외한 모든 재료를 믹싱 볼에 넣고 반죽기(대영공업사, NVM-12)를 이용하여 저속2분 믹싱 후 수화가 완료되고, 반죽이 clean-up단계가 되면 유지를 넣고, 중속으로 11분간 반죽하여 반죽의 종료시점인 최종단계에서의 반죽온도를 27±1℃로 완료하였다. 또한 반죽온도를 정확하게 맞추기 위하여 Table 7.과 같이 수온 조절법을 이용하여 얻었고, 실험공정의 일관성을 부여하고자 실내온도는 20℃를 유지하였다.

반죽의 온도는 디지털온도계((SUMMITSDT8A)Ebro electron, digitalthermometer TDC 1500)로 측정하였고, 1차 발효 전에 발효율을 측정할 각 반죽을 10g씩 채취하여 덧가루를 바른 뒤 100mL메스실린더에 반죽을 넣어 발효기(대영공업사, EP-20)에 넣고 온도 27℃, 습도 85%에서 4시간 동안 발효를 실시하였으며, 각각의 반죽은 30분마다 반죽의 높이의 변화를 기록하여 발효율을 측정하였다.

식빵제조에 필요한 반죽은 1차 발효실(대영공업사, EP-20)에 넣어 온도27±1℃, 상대습도(relative humidity, R/H) 75~80%상태에서 60분간 실시하였으며, 발효가 끝난 반죽은 450g으로 분할하여 반죽표면을 매끄럽게 둥글리기를 한 후 표면이 마르지 않도록 비닐을 덮은 후 20분간 중간발효(27℃)를 실시하였고, 성형은 밀대를 이용하여 밀어 편 후 one loaf로 말아 식빵 틀(21.5 × 9.7 × 9.5cm)에 넣어 팬닝하였다.

2차 발효는 온도 38±1℃, 상대습도 90% 의 발효실(대영공업사, EP-20)에 넣어 각각의 반죽마다 2차 발효시간에 관계없이 팬 높이의 1.5cm의 높이까지 발효 시킨 후 상단 165℃, 하단172℃로 미리 예열된 전기식 3단 데크오븐(대영공업사, FDO-7103)에서 30분간 구워내었다.

구워진 빵은 팬에서 바로 꺼내어, 냉각팬에 놓고 실온(20℃)에서 1시간 냉각한 후 비닐 팩에 담아 실온에서 보관하였다. 그리고 각 시료별로 색차계를 이용한 색도와 TPA검사, 관능평가를 실시하였다.

Table 6. Formula of bread with mulberry extract (g)

Ingredients	CONT[2]	ME10[3]	ME15[4]	ME20[5]	ME25[6]
Strong flour	1000	1000	1000	1000	1000
Margarine	120	120	120	120	120
Sugar	100	0	0	0	0
Mulberry Extract(ME)[1]	0	100	150	200	250
Salt	18	18	18	18	18
Non-fat dry milk	20	20	20	20	20
Yeast	30	30	30	30	30
Egg	50	50	50	50	50
S-500	8	8	8	8	8
Milk	275	257	248	239	230
Water	275	257	248	239	230

1) ME : mulberry extract
2) CONT : mixed mulberry extract 0%
3) ME10 : mixed mulberry extract 10% , 수분조절=CONT-수분함량(36g)우유18g.물18g
4) ME15 : mixed mulberry extract 15% , 수분조절=CONT-수분함량(54g)우유27g.물27g
5) ME20 : mixed mulberry extract 20% , 수분조절=CONT-수분함량(72g)우유36g.물36g
6) ME25 : mixed mulberry extract 25% , 수분조절=CONT-수분함량(90g)우유45g.물45g

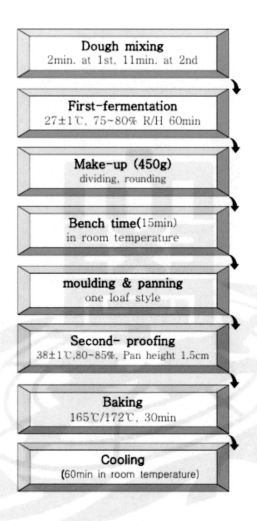

Fig. 8. Manufacturing process of bread by straight dough method

Table 7. Formula of water temperature control

Formula
Friction factor = 3 × A.D.T - (R.T + F.T + W.T)
Calculable water temperature(℃)= 3 × D.D.T - (R.T + F.T + F.F)

A.D.T : Actual dough temperature
R.T : Room temperature
F.T : Flour temperature
W.T : Water temperature
D.D.T : Desired dough temperature
F.F : Friction factor

2) Mixograph를 통한 반죽의 특성

오디농축액의 함량에 따른 밀가루 반죽의 물성을 알아보기 위하여 10g mixograph(Nathonal Mfg. co, Lincoln, Nf)를 사용하였다. Mixograph의 사용조건과 분석개요는 Fig. 9, Table 9. 와 같다. Spring장력은 12에 맞추고, 시료는 AACC method 54-40(Charley H.WAVER C)에 의해 밀가루 10g을 기준으로 CON, ME10, ME15, ME20, ME25의 배합비율에 맞추어 물과 우유의 양을 비율에 맞게 조절하여 Table 8과 같이 조정하였다. 반죽시간은 10분으로 맞춰서 mixogram을 얻었다.

Mixogram을 통하여 peak time, peak value, left slope, right slope와 8분 후의 width와 integral value를 얻어 이 결과들로부터 밀가루의 제빵특성을 알아보았다. 실온에 따른 변수를 없애기 위하여 실내온도는 일정한 조건으로 하여(실내온도 20℃와 습도 60%)실험을 하였다.

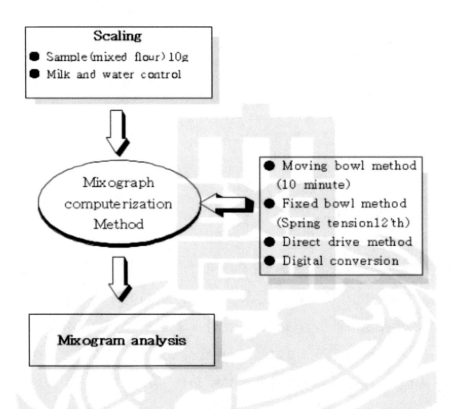

Fig. 9. Procedure for mixogram analysis

Table 8. Mixture flour(dough) for mixogram analysis(g)

	Strong flour	ME[1]	Water	Milk
CONT[2]	10	0	2.75	2.75
ME10[3]	10	1.0	2.57	2.57
ME15[4]	10	1.5	2.48	2.48
ME20[5]	10	2.0	2.39	2.39
ME25[6]	10	2.5	2.30	2.30

*Legends are referred in Table 6.

Table 9. Setting conditions for mixograph variables

Variable Name	Value	Variable Name	Value
Total run time	10.00	Frequency	10.00
Pre-analysis filter	1.10	Mid curve no. stages	2
Mid curve filter	80	Delta right of peak	1.0
Delta left of peak	1.0	Torque max. std. reading	929
Torque min. std. reading	50	Bottom finder window	0.7
Top filter window	0.7	Mid peak fit window	5.0
Top curve filter	80	Mix type	10g mov
Bottom curve filter	80	Data sampling method	timer
Arbitrary time X	8.0	Main shaft rpm	88.0

3) 반죽의 pH 측정

오디농축액의 pH와 각각의 반죽은 표면에 직접 탐침봉을 꽂아 pH를 측정하는 surface electrode method(Miller R. A·Graf.E· HoseneyR.C,1994)를 사용하였으며, 탐침봉을 5cm의 깊이로 꽂은 후 정확히 5초 후에 pHmeter(Orion, model 720A)로 검사하였다. 비교적 정확한 값이 나오도록 반죽의 측정위치를 달리하면서 3번씩 측정하였고, 그 평균값을 내었다.

4) 반죽의 발효율 측정

오디식빵반죽의 발효율을 알아보기 위해서 반죽 직후의 대조군과 시료ME10, ME15, ME20, ME25의 반죽을 10g씩을 전자저울 (CAS, AD-05)을이용하여 분할하고, 둥글리기를 한 후 덧가루를 바르고 100mL 메스실린더에 반죽을 넣어 둥글게 올라온 반죽의 윗부분을 눈금과 평행으로 읽어 부피를 측정하고, 발효실에서(대영 공업사, EP-20) 온도27℃, 습도85%로 하여 4시간까지를 매 30분마다 눈금을 읽어 부피를 측정하였다.

5) 반죽의 stickiness 측정

대조군과 시료를 넣은 각각의 반죽의 stickiness를 측정하였다. 측정에는 texture analyzer (TA-XT2i, Stable micro systems, England)를 사용하였고, 25mm perspex probe와 SMS Chen/Hoseney Dough Stickiness Rig를 사용하였으며, 측정방법은 측정하고자하는 반죽을 'O' ring 속에 놓고, 뚜껑(lid)을 잠근

후 아래에 있는 손잡이(chamber)를 돌려서 extrusion 구멍을 통해 반죽의 높이가 1mm 정도 된 후 손잡이를 반대 방향으로 돌려서 반죽에 가해지는 힘이 없도록 하여 30초간 방치한다. 측정하기 전까지는 뚜껑(cap)을 덮어서 반죽이 건조해지지 않도록 한다. 각 시료는 3회 반복 측정하여 그 평균값을 내었다.

Table 10. Setting conditions of TA-XT2i texture analyser for measurement of dough stickiness

Mode	Force / Tension
Option	Adhesive test
Pre-test speed	2.0mm/s
Test speed	2.0mm/s
Post-test speed	10.0mm/s
Distance	4mm
Force	40g
Time	0.1s
Trigger type	Auto 5g
Data acquisition rate	400pps

6) 오디식빵의 TPA(Texture Profile Analysis)분석

오디 농축액의 첨가비율을 달리 한 식빵의 조직감 변화를 알아보기 위해 Texture analyser에 의하여 TPA 를 측정하였다. 측정한 식빵은 13mm의 두께로 슬라이스 하여 가장 양호한 식빵의 가운데 부분의 두 조각을 겹쳐서 26mm 두께로 사용하여 2회 연속 압착하였을 때 얻어지는 force-time curve로부터 hardness, adhesiveness, springiness, gumminess, chewiness를 측정하였다.

7) 색도 측정

본 실험을 하기 위해서 색도계(Colorimeter JC801, color Techno Co,japan)의 반사광을 이용하여 측정하였다. 측정은 표준으로서 표준백색판(L:93.89, a: -1.41, b: 1.72)을 이용하였다. 각각의 시료를 구운 후 실온(17~18℃)에서 3시간 냉각시킨 후 지름 3.5cm×두께1cm의 원형으로 절단한 후 tissue culture dish(35×10mm)에 넣어 색차계를 시료당 10회 측정하여 그 평균값을 구하였다.

8) 관능평가

관능검사는 오디농축액을 이용하여 만든 식빵의 특성을 알아보기 위해 경희대학교 대학원생과 학부생 17명을 관능검사 요원으로 선발하였으며, 대조군을 포함하여 5가지의 시료를 모두 제시하였고, 평가는 오후 4~5시에 실시하였으며, 각 시료의 평가 후에는 물로 입을 헹군 뒤 다른 시료를 평가하도록 하였다. 총 12가지의 특성을 평가하였으며 사용된 관능적인 특성은 crumb color,crust color, grain size, grain uniformity, volume, firmness, Springiness, moistness, softness, flavor, taste, overall acceptance 등으로 각각의 특성에 대한 점수를 5점 척도로 1점은 매우 나쁘다, 2점은 나쁘다, 3점은 보통, 4점은 좋다, 5점은 매우 좋다. 로 채점하는 5점 채점법을 사용(Bennion, E. B·Bamford, G.S.T, 1997)하였으며 식빵 시료의 두께는 13mm로 하여 식빵 1개를 흰 접시(지름18cm)에 담아 생수와 함께 제공하였다.

9) 통계처리

모든 실험에 대한 결과는 3회 이상 반복 실행하여 값을 얻어서 SPSS 12.0program을 사용하여 통계처리를 하였으며, one-way ANOVA를 이용하여 $p < 0.05$ 수준에서 Duncan's multiple range test(Duncan의 다중범위 검정)에 의해 각 제품 간의 유의적인 차이를 검증하였다.

◈ 결과 및 고찰

1. Mixograph를 통한 반죽의 특성분류

오디 농축액의 첨가량을 달리하여 만든 반죽의 전반적인 영향을 알아보기 위해서 본 실험에 사용된 모든 경우의 sample을 대조군과 강력밀가루와 오디농축액이 함유된 ME10, ME15, ME20, ME25 등의 경우를 mixograph를 이용하여 분석하고, 반죽의 내구성 및 특성을 알아보았다.

측정결과는 Fig. 10과 Table 11에 나타내었다. Peak time(min)의 경우 대조군이 3.52이었고, ME10 3.74, ME15 3.82, ME20 4.55, ME25 5.10으로 다른 시료들은 모두 3~5분 사이에 있으므로 제빵적성에 적합한 것으로 나타났지만, ME25만 5.10으로 제빵적성에 조금 부합된 것으로 나왔다.

Peak value(%)의 경우도 대조군이 74.323 였으며, ME10 75.614, ME15 75.580, ME20 75.229, ME25 76.566 로 모든 시료가 60%이상의 수준으로 제빵적성에 적합하였다.
결과적으로 peak time은 3~5분, peak value 60%이상의 수준에서 제빵 적성에 적합하다는 사실(Walker A. E·Warker C. E, 2001)로 미루어 본다면 ME25만 약간 초과하지만, 나머지는 모두 적합하였다.

Left slope과 right slope에 의해 알 수 있는 mixing tolerance에서는 대조군이 4.612이며 ME10 7.384이며, ME15 0.491이며 ME20 4.999, ME25-2.282로 나타났다. 이 수치는 반죽의 내구성을 나타내는 것으로 높게 나타나면 반죽내구성이 낮아져 빵을 만들기에는 적합하지 않은 것으로 ME10이 7.384로 가장 높았다.

반죽이 시작되고 나서 8분 후의 width of tail은 반죽의 내구성을 나타내는 중요한 지표로(Campana L. E 외 2인, 1993) width of tail의 결과는 대조군이 39.099이였으며, ME10 37.575, ME15 31.823, ME20 30.756, ME2522.107로 ME25가 가장 낮은 것으로 나타났다.

최적의 반죽상태에 필요한 힘의 양을 나타내는 integral(%/min)의 경우 대조군이 190.490 이었으며, ME10 217.653, ME15 217.258, ME20 249.788, ME25 301.419로 ME25가 가장 높게 나타나 오디 농축액 함량이 늘어날수록 Integral이 증가하는 것으로 나타났다.

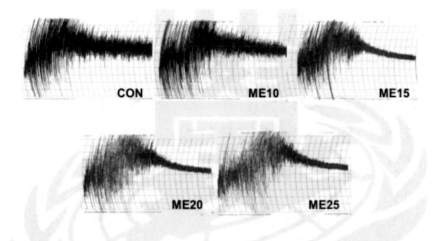

•Legends are referred in Table 6.

Fig. 10. Mixogram of bread dough with different rate of mulberry extract

Table 11. Characteristic classification of dough through mixograph

	Peak time (Min)	Peak value(%)	Left of slope (%/Min)	Right of slope (%/Min)	Mixing tolerance (%/Min)	Width of tail(%)	Integral (%/Min)
Con	3.52	74.323	8.145	-3.533	4.612	39.099	190.490
ME10	3.74	75.614	9.712	-2.328	7.384	37.575	217.653
ME15	3.82	75.580	4.441	-3.950	0.491	31.823	217.258
ME20	4.55	75.229	12.684	-7.685	4.999	30.756	249.788
ME25	5.10	76.566	4.553	-6.835	-2.282	22.107	301.419

•Legends are referred in Table 6.

2. 반죽의 pH

오디 농축액의 pH와 각각의 반죽의 pH는 표면에 직접 탐침봉을 꽂아 pH를 측정하는 surface electrode method(Miller R. A·Graf.E·HoseneyR.C,1994)를 사용하였으며, 탐침봉을 5cm의 깊이로 꽂은 후 정확히 5초 후에 pHmeter(Orion, model 720A)로 검사하였다.

이때 오디 농축액의 pH는 5회 측정한 평균값으로 pH 4.8이었다. Table 12에서와 같이 대조군의 반죽 pH는 일반적으로 가스 보유력이 가장 좋다는 pH 5.0~5.5(이소영 외 7인, 2006)보다는 높은 pH 5.96 이었으며, 오디농축액첨가량이 증가될수록 반죽의 pH는 각각 ME10 5.78, ME15 5.50,ME20 5.37, ME25 5.29로 점점 낮아지는 경향을 알 수 있었다.

그러므로 오디농축액의 첨가량의 변화가 반죽의 pH에 영향을 주어 오디 농축액의 첨가량이 증가질수록 반죽의 pH는 오디 농축액의 pH4.8로 가까워지며, 그 결과 1차발효의 속도는 느려지지만, 반죽내의 가스 보유력은 높아져 반죽의 발효 지속성이 좋아짐을 알 수 있었다.

3. 반죽의 발효율 비교

오디농축액의 양이 늘어날수록 1.5시간 동안의 반죽의 발효율이 늦어졌지만, 1.5시간 이상의 발효 후의 발효율은 차이가 없어지기 시작하였다. 다만 ME25는 2시간 이상의 발효시간을 가진 후에야 다른 반죽과의 차이가 없어지기 시작하였고, 3시간의 발효시간 후에 그 발효율이 다른 반죽과 비교하여 좀 더 좋음을 알 수 있었다.

그러므로 오디식빵에서의 오디농축액 함량이 늘어날수록 1차 발효율이 떨어지지만, 제품 제조시 1차 발효 시간을 증가시켜 발효시킴으로서 제품의 미흡한 발효율을 맞출 수가 있었다. Fig. 11과 12를 보면 대조군의 경우는 일반적인 식빵반죽으로 1시간의 1차 발효시간으로 반죽이 2배가량 팽창하였다.

ME10은 설탕양과 동일하게 오디농축액을 넣었지만, 수분을 제외하면 설탕양보다 적으므로 발효가 대조군에 비해 느렸고, ME15, ME20, ME25의 반죽은 오디농축액의 함량이 많을수록 1시간동안의 발효율은 늦어지지만, 시간이지날수록 발효의 지속성이 좋았다.

특히 3시간 이후의 발효율을 보면 오디 농축액첨가량이 증가할수록 발효력이 좋음을 나타나고 있다. 이는 오디농축액함량의 첨가가 증가될수록 반죽의 가스 보유력이 좋은 pH5.0~5.5 로 반죽의 pH가 떨어지기 때문에 반죽의 발효상태는 시간이 지나도 가스 보유력이 좋은 것을 알 수 있었다.

<1시간 발효 후>

<4시간 발효 후>

Fig. 11. Comparison of fermentation rate

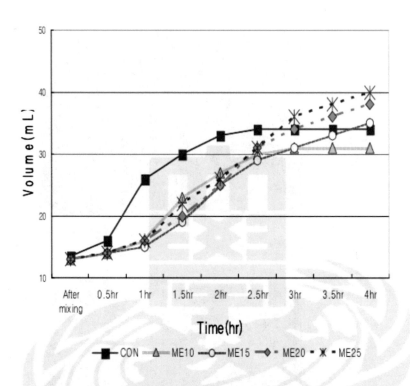

•Legends are referred in Table 6.

Fig. 12. Volume changes of dough with mulberry extract according to
    fermentation conditions

5. TPA 분석

오디 농축액의 첨가비율을 달리한 식빵의 조직감 변화를 보기위하여 TPA(Txture Pofile Aalysis)를 측정한 결과는 Table 14와 같다. Hardness는 대조군은 10.30, ME10 8.80, ME15 9.10, ME20 8.54 ME25 9.39 로 각각 나타났으며, 대조군의 hardness가 약간 높고 나머지의 오디를 함유한 식빵의 강도는 유의적인 차이를 보이지 않았다.

Adhesiveness는 대조군과 각각의 오디농축액의 반죽의 비교에서 유의적인 차이가 없었다. Cohesiveness에서는 대조군이0.54, ME10 0.53, ME15 0.51, ME20 0.53, ME25 0.50으로 응집력은 대조군이 가장 높은 것으로 유의적인 차이가 있음을 나타냈다. Springiness는 대조군이 0.88, ME10 0.88, ME15 0.89, ME20 0.91, ME25 0.86으로 ME20에서 가장 높았다.

Gumminess는 대조군이 5.57, ME10 4.58, ME15 4.63, ME20 4.55, ME25 4.67로 대조군이 높게 나타났다. Chewiness는 대조군이 4.93, ME10 4.10, ME15 4.11, ME20 4.13, ME25 4.00로 오디농축액이 첨가된 식빵보다 대조군이 약간 높은 편으로 나왔을 뿐 큰 유의적인 차이는 없었다. 이러한 결과로 제빵의 texture특성은 첨가 소재에 따라서 달라지는 경향이 있는데 (권경순 외 3명, 2004), 오디 농축액의 첨가로 인한 빵의 조직특성에 뚜렷한 영향을 미치지는 않지만, hardness, cohesiveness, gumminess, chewiness에서 대조군이 약간씩 높은 것으로 측정되었다.

Table 14. TPA for white pan bread with mulberry extract

Characteristics	CON	ME10	ME15	ME20	ME25
Hardness	10.30±0.47[b]	8.80±0.42[a]	9.10±0.31[a]	8.54±0.41[a]	9.39±0.55[a]
Adhesiveness	-12.01±3.3[a]	-12.54±2.21[a]	-9.14±0.45[a]	-8.04±3.60[a]	-10.68±2.35[a]
Cohesiveness	0.54±0.02[c]	0.53±0.01[bc]	0.51±0.02[ab]	0.53±0.01[b]	0.50±0.01[a]
Springiness	0.88±0.03[ab]	0.88±0.01[ab]	0.89±0.01[ab]	0.91±0.01[b]	0.86±0.02[a]
Gumminess	5.57±0.26[b]	4.58±0.30[a]	4.63±0.30[a]	4.55±0.24[a]	4.67±0.27[a]
Chewiness	4.93±0.39[b]	4.10±0.11[a]	4.11±0.31[a]	4.13±0.26[a]	4.00±0.31[a]

*Legends are referred in Table 6.
**Means denoted by the same letter are nor significantly different for each row (p<0.05)

6. 색도 측정

오디식빵의 색도의 변화는 Table 15와 Fig.13 과 같이 측정되었다. CON의 L(명도)값이 79.94 이고, 각각의 오디식빵의 L값은 ME10이 69.24, ME15 62.96, ME20 59.67, ME25 58.24로 오디 농축액이 늘어날수록 L값이 낮아지는 큰 유의적인 경향을 보였다.

a(적색도)값은 CON이 -4.81 이었고, 각각의 a값은 ME10 1.71, ME15 2.85, ME20 3.74, ME25 4.37 로 a값은 오디농축액이 증가하면서 점점 높게 측정되어 유의적인 차이가 나타났다.
b(황색도)값은 CON 21.27이었고, 각각의 b값은 ME10 29.16, ME15 30.33, ME20 31.92, ME25 32.39로 오디농축액의 증가는 b값의 증가로 측정되었다.

오디의 농축액의 첨가량이 늘어갈수록 L값은 낮아지고, a값과 b값은 높아지는 것으로 색차계를 통한 유의적인 차이를 쉽게 알 수 있었다.

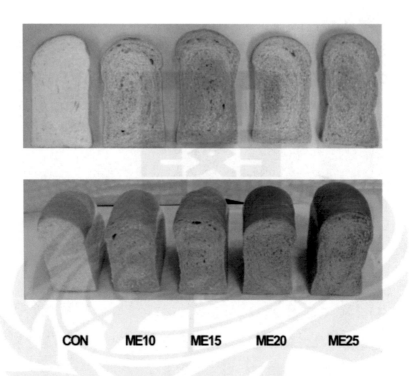

CON   ME10   ME15   ME20   ME25

*Legends are referred in Table 6.

Fig. 13. Crumb & Crust of bread made by different substituting levels of mulberry

7. 관능검사

오디 농축액을 첨가하여 제조한 식빵의 외향 즉, 표피의 색, 식빵 속질의 색, 기공의 크기 및 조밀도, 촉감, 향, 맛, 전체적인 품질의 특성 등을 측정한 관능검사의 결과는 Table 16과 같다.

Crumb color는 대조군이 1.18, ME10 2.29, ME15 3.18, ME20 4.12, ME25 4.41로 오디농축액의 첨가량이 증가할수록 색도가 대조군에 비해서 점점 높게 나타나는 유의적인 차이를 보였다.

Crust color의 경우 대조군이 1.82, ME102.53, ME15 3.00, ME20 4.12, ME204.18로 오디농축액의 첨가량이 증가는 색도가 대조군에 비해서 점점 높아졌다. Grain size는 대조군이 2.82, ME10 3.00, ME15 3.06, ME20 3.41, ME25 3.53으로 오디 농축액이 첨가될수록 커지는 경향을 보여 유의적인 차이를 보여 ME25가 가장 크게 나왔다.

Grain uniformity는 유의적인 차이가 없었다. Volume은 대조군이 3.53, ME10 2.88, ME15 3.06, ME20 3.06, ME25 3.12로 대조군이 오디농축액을 첨가한 것에 비해 약간 높게 측정되었다. Texture의 경우 firmness, springiness, softness에서는 대조군을 포함하여 유의적인 차이가 없었다. 다만 moistness에서 대조군이 2.65, ME10 2.88, ME15 2.82, ME20 3.71, ME25 3.59로 나타나 ME25가 가장 좋은 보습력이 있음이 나타났다.

Flavor에 대한 평가는 대조군이 1.59, ME10 2.59, ME15 3.12, ME20 3.71, ME25 4.35로 오디 농축액첨가량이 늘어날 수록 향에서 큰 유의적인 차이는 났으며, ME25 에서 가장 높은 것으로 나타났다.

Taste는 대조군이 3.10, ME10 3.06, ME15 3.24, ME20 3.65, ME25 3.82로 ME25가 가장 좋았다. Overall acce ptance 에서는 대조군이 2.71, ME10 3.10, ME15 3.24, ME20 3.59, ME25 4.10 으로 ME25의 경우가 가장 좋았으며, 그 다음으로는 ME20의 순으로 오디 농축액의 첨가량증가는 전체 적인 기호도 에서 대조군보다 선호도가 높아지는 것으로 나타났 다.

Table 16. Sensory evaluation of white pan bread with mulberry extract

Characteristics		CON	ME10	ME15	ME20	ME25
Appearance	Crumb color	1.18±0.39[a]	2.29±0.59[b]	3.18±0.39[c]	4.12±0.60[d]	4.41±0.51[d]
	Crust color	1.82±0.88[a]	2.53±0.72[b]	3.00±0.35[c]	4.12±0.70[d]	4.18±0.53[d]
	Grain size	2.82±0.64[a]	3.00±0.61[ab]	3.06±0.66[abc]	3.41±0.87[bc]	3.53±0.72[c]
	Grain uniformity	3.12±0.78[NS]	2.82±1.01	3.12±0.86	2.71±1.16	2.47±0.87
	Volume	3.53±0.72[a]	2.88±0.93[a]	3.06±0.66[ab]	3.06±0.75[ab]	3.12±0.78[ab]
Texture	Firmness	2.65±1.17[NS]	3.06±1.09	2.82±0.95	2.59±0.87	2.88±1.17
	Springiness	2.82±1.01[NS]	2.94±1.25	3.18±0.88	2.89±0.93	3.18±1.07
	Moistness	2.65±1[a]	2.88±0.78[a]	2.82±0.64[a]	3.71±0.69[b]	3.59±1.06[b]
	Softness	3.12±1.11[NS]	3.72±1.01	3.06±0.75	3.18±0.95	3.82±1.19
Flavor	Flavor	1.59±0.94[a]	2.59±0.8[b]	3.12±0.5[c]	3.71±0.59[d]	4.35±0.7[e]
	Taste	3.10±0.9[a]	3.06±0.66[a]	3.24±0.56[a]	3.65±0.72[ab]	3.82±1.1[b]
Overall acceptance		2.71±0.85[a]	3.10±0.9[ab]	3.24±0.66[ab]	3.59±0.71[bc]	4.10±0.9[d]

*Legends are referred in Table 6.
**Means denoted by the same letter are not significantly different for each row (p<0.05)
***NS : not significant

◈ 결론

본 연구는 최근의 건강기능성 식품에 대한 관심의 증가로 인해 오디농축액을 이용한 식빵을 만들어 제빵특성을 알아보고자 하였다. 오디농축액으로 기본적인 식빵을 제조하고, 오디농축액이 제빵적성에 미치는 영향을 알아보기 위해 반죽의 mixograph와 pH, 발효율을 측정하였고, texture analyzer를 통하여 반죽의 stickiness와 완제품의 TPA를 통해 식빵의 특성을 알아보았으며, 색도계를 이용한 색차의 유의성과, 관능검사를 통한 전반적인 소비자의 기호도를 조사하였다.

1. Mixograph를 이용하여 mixogram을 분석한 결과, 반죽의 내구성 및 특성 중 Peak time(min)은 대조구가 3.52이었고, ME10 3.74, ME15 3.82, ME20 4.55, ME25 5.10으로 나타났다. Peak value(%)의 경우도 대조구가 74.323 였으며, ME10 75.614, ME15 75.580, ME20 75.229, ME25 76.566으로, peak time은 3∼5분, peak value 60%이상의 수준에서 제빵적성에 적합하다는 사실로 미루어 본다면 ME25만 peak time이 약간 초과하며, 모두 적합한 것으로 나타났다.

Mixing tolerance에서는 대조구가 4.612였으며, ME10 7.384, ME15 0.491, ME20 4.999, ME25 −2.282로 나타났다. mixing tolerance 수치가 높게 나타나면 반죽내구성이 낮아지고, 빵을 만들기에는 적합하지 않은 것을 나타낸다.

Integral의 경우 대조구가 190.490, ME10 217.653, ME15 217.258, ME20 249.788, ME25 301.419, ME25 301.419로 가장 높게 나타났으며, 다음은 ME20으로 249.788로 오디 농축액 함량이 늘어날수록 integral이 커지는 것으로 나타났다.

2. 오디 농축액의 pH는 4.8 이였으며, 대조군의 반죽의 pH는 일반적으로 가스 보유력이 가장 좋다는 pH 5.0~5.5 보다는 다소 높은 pH 5.96 이였으나, 오디농축액을 첨가 할수록 반죽의 pH는 점차 낮아지는 것을 볼 수 있어, 오디농축액의 함량이 높아질수록 반죽의 가스 보유력이 좋아져 발효시 반죽의 발효지속성이 좋음을 알 수 있다.

3. 반죽의 발효율에서 대조군의 경우 일반적인 식빵반죽으로 1시간의 1차 발효시간으로 반죽이 13mL에서 26mL로 2배가량 증가하였으나, ME10은 설탕양과 동일하게 오디 농축액을 넣었지만, 수분을 제외하면 설탕양보다 적으므로 2배에는 못 미치는 것을 볼 수 있었으며, ME15와 ME20은 1.5시간이후에 2배, ME25는 2시간 이상의 발효시간 후에 2배정도 증가하였다.

반죽은 오디농축액의 함량이 많을수록 발효는 약간 늦어지지만, 3~4시간이 지난 후에도 발효의 지속성이 좋았음을 알 수 있어, 오디식빵에서의 오디농축액 함량이 늘어날수록 1차 발효와 2차 발효 시 좀 더 많은 시간을 발효시킴으로서 제품의 미흡한 발효율을 맞출 수 가 있었다.

4. 오디농축액이 첨가된 반죽의 stickiness는 곡선 상에서 최고의 힘(g)으로 표현되며, 힘이 커질수록 반죽의 점착성도 높아진다. 대조구의 경우 -1.55 와 비교하여, 오디 농축액을 첨가한 반죽의 경우 stickiness는 각각 ME10 0.81, ME15 1.13, ME20 1.40, ME25 1.59로 점점 증가하는 것으로 나타나, 오디농축액의 함량이 많이 들어갈수록 점착력이 강한 것으로 나타났다.

5. 오디농축액을 이용한 식빵의 TPA 분석에서 hardness는 대조군의 경도가 약간 높았지만, 큰 유의적인 차이를 보이지 않았고, adhesiveness에 있어서도 유의적인 차이가 없었으나, cohesiveness에서 대조군이 가장 높은 것으로 유의적인 차이가 있음을 나타내었다. springiness, gumminess, chewiness 에 대해서도 대조군에 비해 오디농축액이 첨가된 식빵이 다소 높은 편으로 나왔을뿐 큰 유의적인 차이는 없었다.

6. 식빵의 색도 변화는 오디 농축액의 첨가량이 많아질수록 대조군에 비해 실험군의 L값이 낮아져 어두운 색을 내는 유의적인 차이가 있었다.

7. 관능검사의 비교분석에서 오디 농축액을 이용하여 제조한 식빵의 외관차이는 crumb color와 crust color, grain size 의 경우는 오디농축액이 들어갈수록 커지는 경향을 보여 유의적인 차이를 보였고, uniformity는 유의적인 차이가 없었으며, volume는 대조군보다 약간 작다는 유의적인 차이가 나왔다.

Texture의 경우는 moistness에서 오디 농축액함량이 많을수록 커지는 유의적인 차이만 보였고, firmness, springiness, softness에서 대조구를 포함한 전체가 기호도의 유의적인 차이가 없는 것으로 나타났다.

Flavor에 대한 평가는 오디 농축액함량이 늘어날수록 향과 맛에서 큰 유의적인 차이는 났으며, 전체적인 기호도 면에서는 오디농축액이 25% 함유한 경우가 가장 좋았으며, 그 다음으로는 20% 순으로 오디 농축액의 첨가는 대조군보다 선호도가 높은 것으로 나타났다.

이상의 실험결과로 오디농축액의 함유는 반죽의 되기에 영향을 미쳤고, 이는 오디 농축액 자체의 수분함량에 의한 증가이므로 반죽 시 들어가는 수분을 감소함으로써 조절 할 수 있었으며, 오디농축액의 낮은pH가 반죽의 pH를 낮추어 발효시 가스 보유력을 높여주지만 당도의 증가로 발효가 느리게 진행 되는 것을 알 수 있어 1차 발효와 2차 발효시간을 증가시켜 원하는 부피의 식빵으로 보완할 수 있었다.

향후 긴 발효시간을 이용하여 스폰지 도우를 이용한 반죽으로 개발 이용한다면 편리하고 좋은 빵을 만들 수 있으므로 좀 더 깊은 연구가 필요할 것으로 사료된다.

막걸리를 이용한 모닝롤의
제빵특성에 관한 연구

1. 연구배경

최근 수십 년 사이 경제의 고도 성장기를 거치면서 우리나라의 식
생활에도 많은 변화가 찾아 왔다(Park Sh, 외 2009). 이에 건강
에 대한 관심이 높아지면서 소비자 들은 좀 더 새로운 건강식품에
대한 욕구를 보이고 있으며(Naetal2010), 근래에 들어서 식문화의
고급화와 더불어 건강에 대한 관심이 커지면서 식품으로서의 맛뿐
만 아니라 생리활성 기능에 초점을 맞춘 기능성 식품이 요구되고

있다. 빵의 경우에도 기능성 빵의 개발이 활발하게 이루어지고 있다(Leeet al2004). 그리고 식생활 또한 건강과 삶의 질에 대한 가치가 높아지면서 식품에 대한 관심이 자연식품, 건강식품등 건강을 추구하는 욕구가 커지면서 기능성과 영양성분이 우수한 식품을 선호하는 식생활로 바뀌고 있다(Park HS 외 2011).

그러므로 기존의 재료 보다는 기능성 부재료를 첨가한 건강 지향적인 제품을 원하는 소비자들이 많아져서 건강에 유익한 특수 빵의 판매를 배가 시키는 요인이 되고 있다(Jang KW 외 2003). 베이커리 제품은 제조 시 비교적 다른 식품 소재를 첨가하기 쉽기 때문에 기능성 식품소재를 첨가하여 영양과 기능적 측면을 강화한 베이커리 제품개발이 활발히 진행되고 있다(Na SJ 2010).

술은 인류가 만드는 가공 음료 중에서 역사가 가장 오래된 것으로 세계 여러나라와 민족, 지역과 마을마다 그들 나름의 전통적이고 독특한 방법으로 전통주를 빚어왔으며(이효지 2009), 술은 인간의 삶 가운데 기쁨과 슬픔, 환희와 축제 속에서 사람들에게 고난을 이길 수 있는 힘이 되었고, 위안이 되게 한 신비의 역할을 하였다. 그리고 각 나라마다 지역마다 다르게 생산되는 양조주들은 해당 지역에서 가장 많이 생산되는 농작물을 이용하여 만들어지기 때문에 그 지역의 특색이 함축된 고유한 전통주로 탄생된다(김대철 2009).

우리의 조상들은 오래 전부터 자연환경에 알맞은 전통 발효 식품을 만들어 왔으며, 현재 우리 식생활의 중요한 부분을 차지하고 있다. 우리 조상들은 일찍부터 농경을 시작하여 곡물 음식이 발달하였고 높은 저장 기술로 곡류나 두류,채소류, 어패류를 이용한 저장 발효 음식이 많이 나왔으며, 양조 기술이 발달하여 술은 통일신라 이전에 이미 완성단계에 접어들었다. 농작물의 재배로 농경의례, 고사행위, 토속신앙을 배경으로 한 각종 행제(行祭), 무속행위, 부락제 같은 의식에 술을 빚었다 (윤숙자 1997).

우리 민족은 예로부터 집집마다 독창적이고 향기로운 술을 빚어왔다. 조선시대 말까지 360여종의 다양한 술을 빚어 왔으나 일제 강점기 이후 다양한 형태의 막걸리가 사라졌다(배송자 2010). 1960년대 쌀 소비 억제정책을 실시하면서 쌀 막걸리 생산이 금지되고 밀가루 막걸리가 개발되고 보급되어 현재까지 주류를 이루고 있다 (정대성 2006).

최근 들어 웰빙 문화의 확산과 복고문화의 유행과 프랜차이즈 막걸리 전문점의 활성 및 원료의 다양화로 전국적으로 약 1,000여개의 막걸리 전문점이 운영 되는 것으로 추산되며(Yeo & Jeong 2010), 웰빙 열풍으로 알코올 도수가낮은 저도주(低度酒)의 인기가 급상승 하여 2008년부터 저도주의 대명사인 우리 민족 고유의 술인 막걸리에 대한 관심이 높아지고 우리 전통술에 대한 새로운 전환기를 맞이하고 있다(농촌진흥청 2010).

농림수산식품부에 따르면 국내 막걸리 시장의 규모는 2008년 3,000억원 규모였던 국내 막걸리 시장은 2009년 4,200억원으로 1년 만에 40% 성장하였고, 2012년에는 1조원대로 성장할 전망이다(Yeo &, Jeong 2010). 따라서 막걸리에 대한 시장은 더욱 확대될 것으로 생각되며 소비의 형태 또한 다양화 될 것으로 생각된다.

2. 연구의 목적

우리나라의 전통적인 주류는 탁주, 약주, 소주, 제재주 등 여러 종류의 술이있으나 이중 탁주는 감미, 신미, 고미, 삽미의 오미가 고루 조화되어 특유의 지미와 청량미를 지닌 우리 고유의 발효주 이며(Jeong & Park 2006), 일반 주류와는 달리 단백질과 식이섬유 및 당질을 함유하고 있고 생리활성 물질과 많은 양의 젖산균을 함유하여 영양적 가치가 높다(Lee GS 외 2010).

탁주는 생효모나 비타민 B군을 비롯한lysine, leucine등의 필수아미노산 및 glutathione을 함유하여 영양가가 풍부한 주류로 알려져 있다(Jeong & Park2006). 발효 과정에서 누룩에 붙어 있던 미생물은 점차 성장하면서 효소를 생산하며, 이때 생산된 효소의 작용에 의해서 원료 성분은 점차로 분해되며 효소에 의해서도 발효가 진행되므로 막걸리는 각종 아미노산, 유기산, 식이섬유소, 비타민 및 무기질 등 다양한 영양 성분들이 존재한다(배송자 2010).

산성 막걸리의 추출물은 간 손상을 억제시키는데 효과가 있으며 이들의 억제효과는 산성막걸리 추출물의 우수한 항 산화효소 활성 기능에 기인하는 것으로 사료 된다(Kwon RH, 외 2011). 누룩은 밀이나 쌀과 같은 곡류를 물로 반죽하여 일정한 조건 하에서 곰팡이를 포함한 다양한 미생물이 피어나도록 배양시킨 것으로서(배송자 2010), 누룩은 양조에 사용할 뿐만 아니라 누룩 자체가 동물의 혈중 콜레스테롤을 낮추는 기능성도 가지고 있다는 것이 알려져 있으며(Yoon CG 외 1999), 생 막걸리에는 생 효모가 함유되어 있어 차별화된 영양학적 특징을 가지고 있다(So MH 외 1999, Yeo & Jeong 2010).

막걸리는 다른 주류에 비하여 알코올 도수가 낮고 곡류에 의한 발효주로서 위에 부담을 주지 않을 뿐만 아니라 식이섬유 단백질, 당질이 풍부하고, 비타민 복합체, 다양한 유기산과 리보플라빈 등 유용한 각종 생리활성 물질들을 함유하고 있다. 그리고 탁주는 단백질, 당류, 칼슘, 인 외 에도 젖산균과 효모를 함유하고 있어 효모의 생육에 필수적인 유익한 환경을 제공할 수 있는 제과 제빵 개량제로서의 개발이 가능 하다고 판단된다(Jeong & Park 2006). 또한 2003년 이후 동아시아를 중심으로 한류의 확산과 더불어 한국의 전통음식에 대한 관심이 증가되고 전통주의 수출 또한 증가되고 있다(Moon SI 외2010). 따라서 막걸리의 시장 확장에 긍정적인 요인으로 작용할 것으로 판단된다.

막걸리와 빵에 관한 연구로는 에탄올을 반죽에 첨가한 연구(Seo EO 외2008), 막걸리박 열 추출물 분말과 같은 부산물을 이용하거나(Lee & Kim2010), 막걸리를 이용한 증편의 제조에 관한 연구(Yoon SJ 2003), 탁주를동결건조 하여 분말화 하여 반죽에 첨가 하거나(Jeong & Park 2006), 막걸리에 인삼을 첨가하여 증편제조에 첨가된 연구(Sung JH 2008), 비지와 막걸리박을 첨가한 식빵의 제조(Cho MK 1996) 등이 있으나 순수한 시판 막걸리를 반죽에 직접 첨가하여 빵을 제조한 연구는 진행되지 않았다.

따라서 본 연구는 막걸리의 소비촉진과 쌀의 소비촉진을 위하여 쌀 막걸리를 이용하여 모닝롤을 제조하고 막걸리 특유의 풍미를 살리면서 막걸리 첨가 모닝롤의 제빵 적성과 관능검사를 이용하여 막걸리의 최적 첨가범위와 모닝롤의 특성을 알아보려고 한다.

3. 연구의 구성
본 연구는 살균 되지 않은 생 막걸리의 첨가량을 달리하여 모닝롤을 제조하고, 반죽 및 모닝롤의 제빵 특성을 분석 하였다. 본 연구에 사용된 연구의 전 과정은 Fig 1에 나타내었다. 이 연구를 위한 본 논문의 구성은 다음과 같다.
Ⅰ. 서론에서는 연구의 배경과 목적, 연구의 구성에 대하여 서술하였다.
Ⅱ. 문헌 고찰은 막걸리의 역사와 정의 막걸리의 일반적인 성분 및 생리활성 성분, 제조과정, 막걸리의 원료에 대하여 서술하였다.

Ⅲ. 재료 및 방법에서는 AACC method 10-10A에 의거하여 모닝롤을 제조하였다. 막걸리의 첨가량을 달리한 반죽의 mixograph, stickiness, 발효율, 반죽의 pH, 모닝롤의 물성, 모닝롤의 pH, 색차계, 비용적, 기호도검사 및 특성차이 검사, 통계처리에 대하여 서술하였다.

Ⅳ. 결과 및 고찰에서는 mixograph, 반죽의 stickiness, 반죽의 발효율, 반죽의 pH, 모닝롤의 물성, 모닝롤의 pH, 색차계, 비용적, 특성차이검사 및 기호도 검사를 통계처리 하여 유의성을 검증하였다.

Ⅴ. 결론에서는 막걸리를 첨가한 모닝롤의 품질특성을 통하여 가장 적합한 막걸리 첨가량을 알아보고 다음의 연구 방향을 제시하였다.

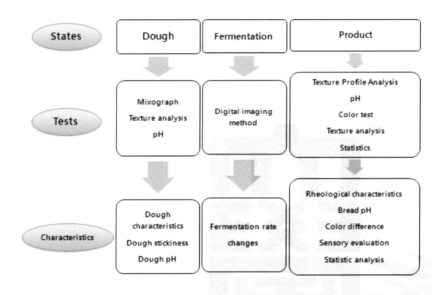

Fig. 1. Procedure for analysis of morning roll with Makgeolli

◈ 문헌고찰

1. 막걸리

술은 인류의 역사와 함께 탄생 하였으며 인류가 만들어낸 가공음료 중 역사가 가장 오래 되었으며 지역, 민족, 기후, 풍토에 맞게 독특한 주조법이 개발되어 고유의 전통주로 발전, 계승되었다(Lee TJ 2009). 우리나라의 술은 서양의 와인 및 맥주와는 크게 차이가 있다. 서양의 양조방법은 효모를 이용한 발효법인데 반하여 우리 술의 양조법은 누룩을 이용한 당화 발효법이다.

즉 전분질을 함유한 곡물을 익힌 후 누룩과 물을 섞어 발효하며 열을 가하지 않더라도 발효가 진행되며(박록담 2005), 막걸리를 만들 때 사용되는 누룩은 전분 분해와 알코올 발효에 필요한 효소와 효모를 동시에 포함하고 있어 전분의 분해와 알코올 발효를 동시에 일어나게 한다(Shin DH 2010).

우리나라의 전통주는 삼한시대와 삼국시대를 거쳐 고려시대이후 다양한 양조법이 정착되어, 약주, 탁주, 소주 등 여러 가지의 형태로 발전 되었으며(Lee &Ahn 2010), 전통적으로 오래 전부터 제조되어 온 약주와 탁주가 그 기원으로 추정될 수 있다(유대식.유현영 2010). 오래 전부터 탁주는 농주라고 불리어져 왔고 농경문화를 주로 해왔던 우리 민족에게는 중요한 발효식품 중 하나였으며 우리 고유의 술로서 삼국사기 등의 고서로 전해지고 있다(Yang JY 1996).

탁주의 사전적 정의로는 "쌀, 찹쌀, 보리, 밀가루 등을 쪄서 누룩과 물을 섞어 발효시켜 담그는 우리 고유의 술로, 색깔은 희고 탁하며, 알코올 성분이 6~7도로 비교적 낮은 도수의 술이다" 라고 정의하고 있다(배송자 2010). 주세법상의 막걸리(탁주)의 정의는 1)녹말이 포함된 재료(발아 시킨 곡류는 제외한다)와 국(麴) 및 물을 원료로 하여 발효시킨 술덧을 여과하지 아니하고 혼탁하게 제성한 것, 2) 1)에 따른 주류의 원료에 당분을 첨가하여 발효시킨 술덧을 여과하지 아니하고 혼탁하게 제성한 것, 3) 1) 또는 2)에 따른 주류의 원료에 과실 채소류를 첨가하여 발효시킨 술덧을 여과하지 아니하고 혼탁하게 제성한것, 4) 1) 또는 3)에 따른 주류의 발효 제성 과정에 대통령령으로 정하는 재료를 첨가한 것으로 정의 되어 있다(주세법4조2항 별표). 막걸리는 주세법상 발효주류로서 탁주로 분류되고 있으며, 발효 후 증류 등의 다른 공정을 거치지 않고 막 걸러서 마신다고 해서 막걸리라고 불린다(Park JH 외 2012).

그리고 일반적으로 찹쌀 또는 멥쌀, 보리, 밀가루 등을 쪄서 누룩과 물을 섞어 발효시 킨 한국에서는 역사가 가장 오래된 술로 빛깔이 뜨물처럼 희고 탁한 것으로 정의된다(이유선 외 2010). 막걸리의 식품공전상의 규격은 에탄올(v/v%)은 주세법의 규정에 의하며, 총 산은(w/v%)은 초산으로서 0.5이하여야 하고, 메탄올mg/mL)은 0.5이하이며 살균막걸리의 진균 수는 음성이어야 하며, 보존료는 검출되어서는 아니된다(식품공전 제5장 식품별 기준규격

27-1 탁주). 일부에서는 막걸리와 탁주를 엄밀한 의미에서 구분하고 있다. 즉 청주를 걸러낸 탁주는 오래 정치해 두면 맑은 술인 청주를 다시 얻을 수 있으나, 막걸리는 탁주 류 중 물을 타서 희석시킨 알코올 도수가 낮은 술이므로 정치해 두어도 청주를 얻을 수없다는 것이다.

그러나 현재 주세법에서 막걸리에 대한 언급은 없고 탁주에 관한 언급만 있으며, 문헌에 기록상의 탁주와 막걸리는 같은 개념으로 쓰였다고 할 수 있다(배송자 2010). 막걸리의 기본적인 재료는 쌀, 누룩 그리고 물이다. 이 재료를 잘 버무려 익히면 향기로운 술이 되며 이렇게 익은 술을 체에 걸러 탁한 상태로 그대로 마시는 것이 '막걸리'이다(배송자 2010). 탁하다고 하여 탁주라 하며, 술 빛깔이 희다고 하여 백주(白酒), 집집마다 담가 마시는 술이라고 하여 가주(家酒), 농가의 필수적인 술이라고 하여 농주(農酒)라고도 부른다.(윤숙자 2000)

2. 막걸리의 원료
막걸리의 기본적인 재료는 누룩과 쌀 또는 찹쌀과 찬 샘물로 만드는 것으로 되어 있다(윤숙자 2008). 좋은 막걸리를 빚기 위해서는 좋은 쌀과 잘 빚은 누룩, 맛좋은 물, 적당한 온도가 반드시 필요하다 하여 우리 조상들은 술을 빚을때 꼭 필요한 여섯 가지 요소를 육재(六材)라고 하여 강조하고, 막걸리 제조시에도 적용되며(배송자 2010), 육재는 막걸리를 만들기 위하여 재료를 선택하고 다룰 때 주의사항을 담고 있는 것이다.

1)쌀

일반적으로 술을 빚을 때 많이 쓰이는 곡류는 쌀과 찹쌀이다. 막걸리는 주로 쌀을 이용하여 빚었다(Shin MS 2009). 쌀을 고르고 술을 만드는 방식에 따라 막걸리의 맛과 품질이 좌우된다. 막걸리를 빚는 쌀은 일반 쌀에 비해 도정 작업을 많이 한다.

그 이유는 쌀 표면의 호분층(糊粉層)에 지방과 단백질이 많이 함유되어 있어 발효 중 잡다한 미생물의 번식이 쉽기 때문이다. 막걸리를 빚는 쌀은 표면이 광택이 있고 알맹이가 크고 충실하면 크기가 고른 것이 좋고 수분함량이 많은 연질미를 사용하는 경우 전분이 쉽게 분해되어 당화가 용이하게 되므로 발효가 잘된다.

(1) 쌀의 일반적 특징

쌀은 우리나라 국민의 중요한 영양 공급원이다, 1일 에너지 공급량의 39.8%를 차지하고 단백질 공급량은 23.7%를 차지하고 있다(Kim MR 2011). 쌀의 일반적인 성분으로는 백미를 기준으로 섭취하는 부분의 대부이 전분으로 구성되며 약 75~80%를 차지하며, 단백질이 6~8%, 지방, 섬유질, 회분 등이 1~3%정도를 차지하고 인, 칼륨, 칼슘, 마그네슘, 나트륨, 철분 등의 무기질과 비타민 B 복합체를 풍부하게 함유하고 있다(Shin MS 2009).

(2) 쌀의 영양적 특성

필수 아미노산인 라이신의 함량이 쌀에는 밀이나 옥수수와 같은 다른 곡류에 비해 많이 함유되어 있다(Shin MS 2009). 또한 쌀의 아미노산가는 65로서 박력분의 44, 옥수수의 32보다 높아 양질의 단백질을 함유하고 있다(Ha TY2008). 쌀의 기능 성분으로는 강한 항 산화력을 나타내는 tocopherol과 tocotrienole 등의 tocol류와 감마 오리자놀 등을 함유하고 있고 페놀성 화합물 ferulic acid와 p-coumaric acid 그리고 benzoic acid 등을 함유하고 있다. 콜레스테롤 대사조절에 도움을 주는 것으로 알려진 beta sitosterol, stigmasterol 등과 같은 식물성 스테롤과 스쿠알렌 등도 함유하고 있다(Kim MR 2011).

그리고 쌀은 다른 식품에 비해 콜레스테롤 조절기능, 혈당조절기능, 항산화기능이 우수하다는 연구 결과가 있으며 그 밖에도 혈압의 상승을 억제하고 면역력을 증가시키고 암 등의 예방 효과도 기대 된다는 연구도 보고되고 있다(HaTY 2008).

2) 누룩

우리조상들은 옛 부터 양조주, 특히 막걸리 등 민속주에는 누룩을 필수적으로 사용하였다(유대식, 유영현 2010). 누룩이 처음 만들어진 시기는 중국의 춘추전국시대로 전해지고 있으나 정확한 시기는 알 수 없으며 우리나라의 누룩사용 시기는 중국의 〈고려도경〉이란 문헌상으로 1123년 경으로 추측할 수 있다(박록담 2005).

사전적 정의로 〈표준국어대사전〉에는 술을 빚는데 쓰이는 발효제, 밀이나 찐 콩 따위를 굵게 갈아서 반죽하여 덩어리를 만들어 띄워서 누룩곰팡이를 번식시켜 만든다 라고 되어있으며. 〈새 우리말 큰 사전〉에는 곡물을 쪄서 곰팡이를 번식시킨, 술을 빚는데 쓰이는 발효제, 주로 밀기울, 찐 콩등으로 만듦 이라고 되어 있다. 누룩은 생 소맥 자체가 함유하고 있는 효소와 생 소맥에 Rhizopus(거미줄곰팡이),Aspergillus(국균),Absidia, Mucor(털곰팡이), 등의 사상균과 효모 및 기타 균류가 번식하여 효소를 생성 분비하고 있는 발효제이며 다량의 효모를 지니고 있으므로 주모의 역할을 겸비한 발효제의 일종이다(김현수 외 1997).

그러므로 우리의 누룩은 생전분의 원료로서 당화제와 동시에 알코올 발효제의 역할을 동시에 수행할 수 있는 유일의 발효제임을 강조하고 있다(유대식 유영현 2010). 누룩은 술을 빚을 때 사용하는 알코올 발효제로서 효소를 갖는 곰팡이를 밀, 보리, 쌀 등 곡류에 번식시킨 것으로서 흔히 "곡자"라고도 한다. 누룩에는 전분을 당화 시키는 곰팡이인 국균이 주로 번식되며 이를 국(麴) 또는 곡이라고 하며(윤숙자 1997), 누룩곰팡이의 전분분해효소 작용으로 당화 효소제의 역할뿐만 아니라 효모 증식으로 알코올을 생산하는 역할까지 하는 병행복발효로 전통 발효주의 향과 맛을 낸다(Baek 외 2010). 즉 누룩은 발효의 바탕이 된다.

누룩은 사용 목적에 따라 약주용, 탁주용, 소주용 누룩으로 나눌 수 있다(유대식, 유영현 2010). 그리고 밀의 분쇄도에 따라 분곡 과 조곡으로 나누며 분곡은 약주를 만드는 데 사용하며 조곡은 거칠게 부순 밀과 밀기울을 섞어 만드는 것으로 탁주, 막걸리, 소주를 만드는데 사용한다(배송자 2010). 밀 누룩은 밀을 껍질째 갈아서 만들기 때문에 껍질 속의 풍부한 단백질, 비타민, 효소 등이 누룩곰팡이 균을 균일하게 번식시켜 다른 곡류보다 발효성이 좋다. 전통누룩은 누룩에 생육하는 여러 균주의 조성에 의하여 양조됨으로 지역에 따라 다양한 누룩이 있고 제조 방법에 따라 여러 형태의 누룩이 된다(Woo SM외 2010).

제조 방법은 각 지역 및 형태에 따라 만드는 방식이 다르며 그 품질 또한 다양하다(윤숙자 1997). 그럼으로 국세청 기술연구소의 '탁주·약주 제조 방법'에 의한 누룩 제조법은 소맥을 정선, 분쇄, 살수 혼합(살수량 20~25% 정도, 겨울철은 온수 사용), 성형(제품으로 0.8kg형 1되형, 제품으로 1.6kg 2되형), 제1발효실(주 발효, 기간은 10일 내외, 최고 품온 45℃ 내외), 제2발효실(후 발효 기간, 7일 내외), 건조실(14일 내외, 실온 30~35℃), 저장실(1·2개월 실온은 상온), 출하의 순으로 되어 있으며 이렇게 제조된 누룩의 단면은 회백색 또는 황회색으로 균사가 충분히 들어간 것이 좋다. 그리고 곡자의 규격은 중량 800 g (1되형) 혹은 1,600 g (2되형)이며, 수분은 12% 이하이며, 당화력은 300 SP 이상이어야 한다(유대식, 유영현 2010).

3) 물

술은 80% 이상이 물로 구성 되어있기 때문에 술을 빚을 때 쓰는 물은 술의 질과 맛에 매우 큰 영향은 미치며 중요하다(윤숙자, 권희자 2007). 곡류가 술로 변하는 발효 과정이 물속에서 이루어지므로 물속에 함유되어 있는 미량의 무기질 성분은 미생물의 영양원으로서 매우 중요한 역할을 한다(배송자2010).

예로부터 술을 만들기 좋은 조건은 '육재(六材)'라 하여 여섯 가지 재료를 잘 선택 하여야 한다고 알려져 있다 그 중 네 번째가 좋은 샘물을 골라야 하는데 양조용수는 무색, 무미, 무취, 오염되지 않은 샘물 또는 지하수, 약수 등이 좋다고 하였다(윤숙자 1997). 양조용수의 기본 조건은 음용수의 수질 기준에 맞아야 하고 용수 중 철분의 함량이 0.05ppm 이하 인 것이 좋다. 유기물이 없고 맑고 무색 무취이며, 적당한 양의 이온이 필요하다.

3. 막걸리의 제조

막걸리를 제조하는 전통적인 방법으로는 먼저 물과 누룩을 혼합하여 밑술을 만들고, 약 7일정도 발효 후에 밑술과 고두밥, 물을 1:2:5 의 비율로 섞고 매일 한번 씩 충분히 저은 후 5~8일 정도 숙성이 완료되면 음용 가능한 막걸리가 된다.

본 연구에 사용되는 막걸리는 시중에 판매되고 있는 막걸리를 사용하기로 하였으므로 대량 생산 공정의 막걸리 제조 공정을 살펴보기로 하였다. 대량생산을 목적으로 하는 막걸리의 주조는 대부분

입국 방식이 많이 사용되고 있으며, 이는 일제 강점기인 1940년 부터 사용되는 방식으로 고두밥에 국균을 접종하여 균을 번식시켜 술을 만드는 방식이다.

일반적인 막걸리의 제조방법은 먼저 고두밥에 국균을 뿌려 단시간 에 균을 번식 시킨다, 이것을 입국이라고 한다. 입국과 효모를 물 과 섞어 밑술을 만든다. 밑술과 물을 담금조에 넣고 1차 담금 한 다. 1차 담금이 완성되면 고두밥과 누룩, 팽화미, 물을 넣고 2차 담금 한다. 2차 담금이 완성되면 팽화미와 물을 넣고 3차 담금 한 다. 3차 담금이 완성되면 팽화미, 올리고당, 물을 넣고 4차 담금 후 건더기를 걸러내고 제성한 후 포장하여 출고 한다. 막걸리의 제조 방법은 Fig 2에 나타내었다.

4. 막걸리의 성분 및 효능
1) 막걸리의 성분
막걸리에는 비타민 B군,lysine, leucine등의 10여종의 필수 아미 노산과 glutathion그리고 단백질, 식이섬유, 당질, 생효모를 함유 하고 있다 (Lee JW2010). 또한 다른 주류에 비하여 알코올 도수 가 상대적으로 낮고 발효중 효모 및 유산균에 의해 생성된 다양한 유기산과inositol, acetylcholine, 리보플라빈 등의 생리활성 물질 을 함유하고 있다(Lee SJ 외 2011). 막걸리 고유의 맛과 신선함 을 있게 해주는 유기산으로는pyruvic acid, malic acid, succin ic acid, tartaric acid, oxalic acid, fumaric acid, citric acid,

acetic acid등이 알려져 있다(Lee TJ 외 2009). 그리고 직접 담근 막걸리의 희석되기 전 기준으로 수백만에서 1억 마리 정도의 유산균이 있는 것으로 보고되어 있다).

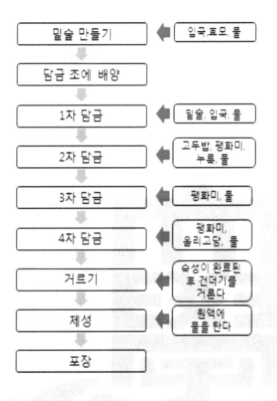

Fig. 2 Manufacturing process of Magkeolli

2) 막걸리의 효능

막걸리의 효능으로는 알코올 유기산, 아미노산, 비타민 B군 등으로 인한 피로완화 효과, 피부 재생과 미백효과, 시력 증진 효과, 간 기능 개선 효과, 콜레스테롤 저하 효과, 혈류 개선 효과 항산화 효과, 고혈압 유발 저해 효과, 암 예방지수인 QR 활성 유발 효과, 암세포 성장 저해 효과 등이 있다(배송자 2010).

◈ 재료 및 방법

1. 실험재료

실험 재료는 누구나 쉽게 구입 할 수 있는 서울탁주제조협회의 장수 생 쌀 막걸리를 재료를 구입하여 사용 하였고 모닝롤의 배합표의 물대신 막걸리를 0%, 25%, 50%, 75%, 100%를 첨가하여 사용하였으며, 0% 첨가구를 대조구로 사용하였다. 밀가루는 대한제분의 1등급 코끼리표 밀가루를 사용하였고, 설탕은 대한 제당의 foodream을 사용하였다. 그리고 소금은 한주소금을 사용하였으며, 이스트는 제니코의 생이스트를 사용하였고, 마가린은 한국 하인즈의 프리미엄 나폴레옹 골드를 사용하였다. 탈지분유는 서울우유의 탈지분유를 사용하였으며, 제빵 개량제는 퓨라토스의 S-500을 사용하였다.

2. 실험방법

1) Mixograph를 이용한 반죽의 특성

시료에 따라 막걸리의 함량이 서로 다르므로 각각의 함량에 따른 밀가루 반죽의 특성을 알아보기 위하여 10 g Mixograph(Natho

nal Mfg. co. Lincoln,NF)를 사용하였다. Mixograph의 사용 조건은 Table1과 같다. Spring 장력은 12에 맞추었고, 시료는 AACC mathod 54-40에 의거하여 밀가루 10g을 계량하고 모닝롤 제조 시 사용하는 막걸리의 함량을 달리하여 0%, 25%,50%, 75%, 100%로 하여 총 액체의 무게를 6 g 으로 반죽시간을 10분으로 맞추고 실내 온도에 따라 변수가 생길 수 있으므로 실내온도를 20℃로 유지하도록 하여 Mixogram 결과를 얻었다.

Mixogram으로 peak time, peak value, left slope, right slop 그리고 8분 후 width와 integral value의 결과를 얻었으며, 이 결과에 따른 막걸리를 첨가한 반죽의 제빵 특성을 알아보았다.

Table 1. Setting conditions for mixograph variables

Variable Name	Value	Variable Name	Value
Total run time	10.00	Frequency	10.00
Pre-analysis filter	1.10	Mid curve no. stages	2
Mid curve filter	80	Delta right of peak	1.0
Delta left of peak	1.0	Torque max. std. reading	929
Torque min. std. reading	50	Bottom finder window	0.7
Top filter window	0.7	Mid peak fit window	5.0
Top curve filter	80	Mix type	10g mov
Bottom curve filter	80	Data sampling method	timer
Arbitrary time X	8.0	Main shaft rpm	88.0

2) 반죽의 stickiness 측정

대조군과 막걸리 첨가량을 달리한 각각의 반죽의 stickiness를 측정하였다. Stickiness의 측정을 위해서는 texture analyzer(TA-XT2i, Stable micro-system England)가 사용되었다. 25mm perspex probe와 SMS Chen/Hoseny Dough Stickniess Rig를 사용하여 측정하였다.

측정방법으로는 측정하기 위한 반죽을 "'O' ring 위에 올려놓고 뚜껑(lid)을 덮는다. 아래의 손잡이(chamber)를 돌려 extrusion 구멍으로 반죽이 1mm정도의 높이로 올라오게 한 후 반죽에 더 이상 힘이 가하지 않게 하기 위하여 손잡이를 반대방향으로 돌린 후 30초간 방치하고, 측정하기 전까지는 반죽이 건조해지지 않도록 cap을 씌워둔다. 각각의 시료는 3회 반복하여 측정하고 평균값을 구하여 사용 하였다.

Table 2. Setting conditions of TA-XT2i texture analyser for measurement of dough stickiness

Mode	Force/Tension
Option	Adhesive test
Per-test speed	2.0mm/s
Test speed	2.0mm/s
Post-test speed	10.0mm/s
Distance	4mm
Force	40g
Time	0.1s
Trigger type	Auto 5g
Data acquisition rate	400pps

3) 반죽의 발효율 측정

막걸리의 첨가량에 따라 반죽의 발효율의 차이를 알아보기 위하여 발효율을 측정 하였다. 발효율의 측정을 위해서는 Emehdi H.M 등(2007)이 행한 digital imaging method를 변형하여 Fig 3과 같이 측정 기구를 제작하여 사용하였다. 반죽이 끝난 후 대조구와 막걸리 첨가량을 달리한 반죽을 5 g씩 전자저울(CAS, MW-1200)을 이용하여 시료를 채취 후 둥글리기를 하여 5mm 간격으로 눈금을 그린 두께 10 mm의 아크릴판 사이에 넣고 영상 측정을 하였으며 영상 결과를 토대로 상하좌우 네 방향의 길이를 측정하여 평균값을 구하여 발효율로 측정 하였다. 측정은 매 20분마다 80분간 측정 하였고 발효실(대영공업사 EP-20) 조건은 온도 27℃, 습도 85%로 하여 측정 되었다.

4) 모닝롤의 제조

막걸리 첨가 모닝롤 제조 시 사용되는 물의 양을 360 g 으로 정하고 사용되는 막걸리의 양은 0%, 25%, 50%, 75%, 100% 로 사용하였으며, 막걸리는 쉽게 구입할 수 있는 서울탁주제조협회의 장수생쌀막걸리를 구입하여 사용하였다. 막걸리 첨가 모닝롤은 기능사 자격검정의 버터롤 배합을 기준으로 변형하여 실험용 배합표를 작성 하였으며 배합비는 Table 2와 같다. 재료 계량 시 밀가루는 2g 단위로 측정되는 전자저울(CAS, AD-05)을 사용하고, 100g 이하의 재료는 변수를 최소한으로 줄이기 위하여 소수점까지 측정되는 전자저울(CAS, MW-1200)을 사용하였다.

모닝롤 제조 공정은 Fig 4와 같이 직접 반죽법(AACC method 10-10A)으로 제조하였다. 반죽을 하기 전 모든 건조 재료는 2회 체질하여 사용하였다. 반죽은 소형 반죽기(KithenAid)를 사용하였으며 저속(2단) 2분후 모든 재료가 한 덩어리로 수화가 된 후 고속(4단)으로 10분간 반죽하고 빵을 제조하기위한 최적의 시점인 최종 발전단계에서의 반죽의 온도는 27±1℃로 반죽을 완성 하였다.

반죽의 온도의 일관성을 위하여 Table 4 의 수온 조절법을 이용하였으며 실험 조건의 일관성을 위하여 실내 온도를 22℃ 로 유지하였다. 반죽의 온도는 디지털온도계(SUMMIT-SDT8A)를 이용하여 측정하였다. 1차발효는 발효실(대영공업사, EP-20)에서 온도 32±1℃, 상대습도(relative humidity, R/H) 75~80%에서 60분간 실시하고, 1차 발효가 끝난후 반죽을 40g 씩 분할하여 반죽의 표면이 매끄럽게 둥글리기 한 후 표면이 마르지 않도록 비닐을 덮은 후 실온에서 20분간 중간발효를 한 후 성형을 하였다,

성형은 둥글리기와 같은 방법으로 손으로 둥글게 성형하고 빵이 서로 달라붙지 않게 간격을 띄우고 철판에 팬닝 하였다. 2차 발효는 발효실(대영공업사, EP-20)에서 온도 38±1℃, 상대습도(relativehumidity, R/H) 85~90%에서 30분간 실시 후 미리 윗불 200℃ 밑불 170℃로 예열된 전기식 3단 데크오븐(대영공업사, FOD-7104)에서 14분간 구운 후, 냉각팬에 옮긴 후 30분간 냉각

하고 비닐 지퍼 팩에 담아 보관하였다.

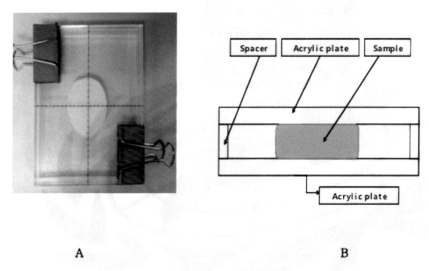

Fig. 3 . Apparatus for the measurements of dough fermentation ;
A: Upper view, B: Side view

5) 반죽의 pH 측정

반죽은 온도의 변화와 시간이 지남에 따라 변화가 매우 심하다,
그러므로 반죽의 표면에 직접 탐침봉을 꽂아 pH를 측정하는 방법
인 surface electrode method(Miller R. A·Graf.E·HoseneyR
.C,1994)를 이용하여 반죽의 pH를 측정하였다. 탐침봉을 반죽에
5cm 에 꽂은 후 5초 후에 pH meter(Orion, model 720A)검
사를 하였으며 정확한 측정값을 얻기 위하여 측정 위치를 달리해
서 3회 반복 측정하여 평균값을 사용하였다. 1차 발효 직후 같은
방법으로 다시 한 번 측정하여 발효전과 발효 후의 pH 변화를 알
아보았다.

6) 모닝롤의 TPA(Texture Profile Analysis) 분석

막걸리의 첨가량을 달리한 모닝롤의 물리적 특성의 변화를 알아보기 위하여 texture analyser(TA-XT2i, Stable microsystem, England) 를 이용하여 TPA(Texture Profile Analysis)를 측정하였다. TPA의 측정을 위하여 모닝롤을 가로 20mm 두께로 슬라이스 하여 중앙부분의 속질을 사용하여 2회 연속 압착하였으며 이때 얻어지는 force-time curve로부터 hardness(경도),adhesiveness(점착성), springiness(탄성), cohesiveness(응집성), gumminess(검성), chewiness(씹힘성)을 측정하였다.

7) 모닝롤의 비용적 측정

막걸리 첨가 모닝롤의 부피 측정은 종자치환법으로 측정하였다, 빵의 무게를 측정하고 부피를 무게로 나눈 값을 비용적(mL/g)으로 하였으며 이러한 과정을 3회 반복 측정 하였고 그 평균값을 비용적으로 하였다.

8) 모닝롤의 pH 측정

막걸리 첨가 모닝롤의 pH 측정은 AACC method 02-52(AACC 1995)인 slurry method를 이용하여 측정하였다. 모닝롤의 속질 10 g 에 25 ℃의 증류수 100 mL를 넣은 후 30분간 진탕한 다음 10분간 방치 한 후 pH meter를 이용하여 측정하였고, 3번 반복하여 측정 하였다.

9) 모닝롤의 색도 측정

막걸리첨가 모닝롤의 색도 측정을 위하여 색차계(Colorimeter JC801, color Techno Co, Ltd japan)를 이용하여 측정하였다. 시료는 지름 3.5cm, 두께1cm 로 절단한 후 tissue culture dish(35×10 ㎜)에 넣고 L(명도), a(적색도), b(황색도) 값을 시료 당 3회 반복 측정 하여 그 평균값을 구하였다. 이때 사용된 백색판의 값은 각각 L=93.79, a = -0.92, b = 1.33이었다.

10) 관능검사

관능검사는 모닝롤의 특성을 알아보기 위하여 경희대학교 학부생과 대학원생 45명을 대상으로 실시하였다. 대조구와 4 가지의 시료를 모두 제시하였고, 평가는 오후 3시~4시 사이에 실시하였다. 각 시료의 평가 후에는 물로 입을 헹군 뒤 다른 시료를 평가하도록 하였다. 기호도 검사는 외관(appearance), 질감(texture), 풍미(flavor), 맛(taste), 전체적인 기호도(overall acceptance) 와 같이 5개의 특성에 대한 점수를 1점은 매우 싫다. 2점은 싫다, 3점은 조금 싫다, 4점은 좋지도 싫지도 않다, 5점은 조금 좋다, 6점은 좋다, 7점은 매우 좋다(Bennion, E. B·Bamford, G.S.T, 1997)로 채점하는 7점 척도법을 사용하였다.

총 13가지의 특성을 평가하였으며 사용된 관능적인 특성은 부피(volume), 속질 색(crumb color), 껍질 색(crust color), 기공의 크기(grain size), 기공의 균일성(grain uniformity), 견고성(firm ness), 탄력성(springiness), 촉촉한(moistness), 막걸리 풍미 (Makgeolli flavor), 알코올 향(alcohol aroma), 신맛(sour taste), 단맛(sweet taste)이다.

11) 통계처리

모든 실험은 3회 이상 반복하여 측정한 값으로 SPSS 12.0 program을 이용하여 통계처리 하였고 one-way ANOVA를 이용하여 $p < 0.05$ 수준에서 Duncan's multiple range test(Duncan의 다중범위검정)에 의하여 각 시료마다 유의적인 차이를 검증하였다.

◆ 결과 및 고찰

1. Mixograp를 통한 반죽의 특성

막걸리 첨가량을 달리하여 제조한 모닝롤 반죽의 전반적인 특성과 막걸리가 반죽에 미치는 영향을 알아보았다. Mixogram 결과에 대한 분석(Walker A. E& Warker C. E, 2001)에 의하면 Peak time은 3분에서 5분, peak value 60%이상의 수준 일 때 제빵용 밀가루로 적합하다. Mixing tolerance(stability)는 최고점을 기준으로 왼쪽과 오른쪽의 기울기 절대 값으로 나타내며, 반죽의 내구성을 나타낸 값으로 값이 클수록 반죽의 내구성 낮으며, width of tail은 8분 후의 폭을 나타내며, 작아질수록 수분이 많아지는 것과 같은 상태가 된다.

막걸리의 첨가량에 따른 mixogram은 Fig. 5와 같고 측정 결과는 Table 5에 나타내었다. Peak time은 막걸리를 넣지 않고 물만 넣은 대조군과 막걸리를 넣은 반죽의 최적의 발전 시간을 비교하는 수치로 대조구가 3.82분, MG25는 3.46분, MG50은 3.58분, MG75는 3.15분, MG100은 3.03분으로 3~5분 사이이므로 제빵에 적합한 것으로 나타났다.

대조구가 가장 높게 측정 되었으며 대조구와 실험군이 유의적인 차이를 보였다($p < 0.001$). Peak value는 대조구가 65.30%, MG25가 63.55%, MG50이 61.30%, MG75가 52.97%, MG100이 52.23%로 대조구와 실험군에서는 MG25와 MG50의 peak value 가 60% 이상으로 제빵에 적합한 것으로 나타났으며, 유의적인 차이를 보였다($p < 0.001$). Mixing tolerance는 수치가 높게 나타나면 반죽의 내구성이 낮아져서 제빵에 적합하지 않은 것으로, 대조구가 9.36, MG25는 10.70, MG50은 9.74, MG75는 17.34, MG100이 12.07로 MG75가 가장 높게 나타났으며, 유의적인 차이는 나타나지 않았다.

Width of tail은 반죽이 시작된 8분 후의 반죽의 내구성을 나타내는 지표로 사용되며, 그 결과는 대조구가 13.60%, MG25가 7.40%, MG50이 5.71%, MG75가 4.85%, MG100이 4.27%로 대조구와 비교하여 막걸리의 첨가량이 증가 할수록 반죽이 흡수율이 낮아져 질어지는 반죽의 상태를 확인 할 수 있었으며, 유의적인 차이를 보였다($p < 0.001$).

Integral은 최적의 반죽 상태에서의 필요한 힘의 양을 나타내는 수치로 대조구에서 144.98, MG25가 113.22, MG50이127.68, MG75는 90.61, MG100이 92.33으로 대조구가 가장 높았고 대조구보다 실험군의 수치가 낮게 나타나 최적의 반죽 상태에 필요한 힘은 적었으며, 유의적인 차이를 보였다(p<0.05).

결과에서 나타난 변화는 흑미주를 이용한 흑미식빵의 제조에 관한 연구(Leeet al2004)와 맥주를 이용한 제빵 특성에 관한 연구(Suhet al2011) 등과같은 결과를 나타내었다.

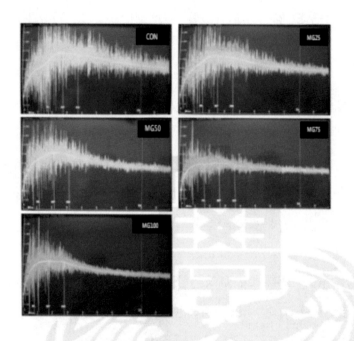

Fig. 5. Mixogram of morning roll dough with strong flour and Makgeolli

Table 5. Mixogram of morning roll dough with strong flour and makgeolli

	Peak time (min)	Peak value (%)	Mixing tolerance (%/Min)	Width of tail (%)	Integral (%/Min)
CON	3.82 ± 0.53^a	65.30 ± 2.65^b	9.35 ± 0.92	13.60 ± 0.48^d	140.83 ± 5.06^b
MG25	3.46 ± 0.28^{ab}	63.55 ± 1.41^b	10.70 ± 1.16	7.40 ± 0.99^c	113.22 ± 14.36^{ab}
MG50	3.58 ± 0.36^{ab}	61.30 ± 2.49^b	9.74 ± 1.10	5.71 ± 0.28^b	127.68 ± 17.14^b
MG75	3.15 ± 0.47^{ab}	52.97 ± 2.85^a	17.34 ± 5.23	4.85 ± 0.21^{ab}	90.61 ± 25.89^a
MG100	3.03 ± 0.50^a	52.23 ± 1.41^a	12.07 ± 1.31	4.27 ± 0.12^a	92.33 ± 23.51^a
F-value	16.63^{***}	21.86^{***}	1.86^{NS}	159.24^{***}	4.13^*

$^{a-d}$ Means denoted in a column by the by the same letter are not significantly different ($p<0.05$).

*** $p<0.001$. * $p<0.05$. ^{NS} Not significant.

^{a}Legends are referred in Table 3.

2. 반죽의 stickiness

TA-XT2i texture analyzer를 이용하여 반죽의 stickiness를 측정하였다. 반죽의 stickiness는 곡선 상에서 최고의 힘으로 표시되며, 힘이 크면 반죽의 점착성도 커진다(Kanget al2004). 막걸리를 첨가하여 나타나는 반죽의 차이를 Table 6에 나타내었다.

반죽의 stickiness는 force나타낸다, 대조구가 4,47, MG25는 3.33, MG50은 3.03, MG75는 2.77, MG100은 2.57을 나타냈다, 즉 막걸리 첨가량을 증가 할수록 force가 감소하는 것으로 나타났으며, 유의적인 차이를 보였다($p<0.001$). Time(s)은 대조구에서 0.47, MG25가 0.44, MG50이 0.42, MG75는 0.41, 그리고 MG100이 0.39로 time(s)이 막걸리의 첨가량이 증가 할수록 time이 감소하는 것으로 나타났으며, 유의적인 차이를 보였다 ($p<0.001$).

Distance는 대조구가 -1.22, MG25는 -0.65, MG50은 -0.54, MG75는 -0.45, 마지막으로 MG100이 -0.45로 막걸리 첨가량이 증가 할수록 유의적인 차이를 보였다($p<0.001$).
Area(gs)는 대조구가 2.86, MG25가 2.28, MG50은 2.03, MG75는 1.89, MG100이 1.69를 나타내어 막걸리 첨가량이 증가 할수록 좁아지는 것으로 나타났고 각각의 시료가 유의적인 차이가 있는 것으로 나타났다($p<0.001$).

Stickiness 분석은 막걸리의 첨가량이 증가 할수록 force와 time 그리고 area는 감소하는 것으로 나타났으며, 이러한 결과는 흑마늘 가루를 첨가한 식빵의 품질에 관한 연구(Jooet al2010), 울금 분말을 첨가한 식빵의 품질 특성(Jeonet al2010)등과 같이 기능성 재료를 분말 화하여 첨가한 연구의 결과와는 상이한 결과를 나타내었다.

Table 6. Stickiness for morning roll dough with strong flour and Makgeolli

	Force (g)	Time (s)	Distance (mm)	Area (gs)
CON	4.47 ± 0.25^d	0.47 ± 0.03^d	−1.22 ± 0.15^a	2.86 ± 0.02^e
MG25	3.33 ± 0.23^c	0.44 ± 0.01^c	−0.65 ± 0.02^a	2.28 ± 0.12^d
MG50	3.03 ± 0.25^{bc}	0.42 ± 0.01^{bc}	−0.54 ± 0.01^b	2.03 ± 0.09^c
MG75	2.77 ± 0.06^a	0.41 ± 0.01^{ab}	−0.50 ± 0.02^c	1.89 ± 0.02^b
MG100	2.57 ± 0.21^{ab}	0.39 ± 0.01^a	−0.45 ± 0.02^c	1.69 ± 0.05^a
F−value	36.95***	16.54***	66.92***	238.36***

$^{a-e}$ Means denoted in a column by the by the same letter are not significantly different ($p < 0.05$).

*** $p < 0.001$.

*Legends are referred in Table 3.

3. 반죽의 발효율 분석

반죽의 발효율을 측정하기 위하여 Fig 3 과 같이 기구를 만들어 측정 하였다. 측정 기구는 Elmehch H.M.(2007) 등이 행한 digital imaging method를 변형하여 사용하였다. 본 실험에서는 기구에 시료를 넣은 직후부터 매 20분 간격으로 80분 까지 의 변화하는 시료의 크기(cm)를 측정하였으며, 결과는 Table7과, Fig 7에 나타냈다.

결과는 0분에서 대조구가 2.27, MG25가 2.24, MG50 이 2.26, MG75가 2.25, MG100이 2.12로 측정되었다. 20분에서는 MG50이 2.93로 가장 높았고 다음은 MG75와 MG100이 2.70, MG25가 2.69, 그리고 대조구가 2.66으로 측정되었으며, 유의적인 차이는 없었다.

40분에서는 MG50이 3.85가장 높게 나타났으며, 다음은 MG75가 3.77, MG100이 3.59, MG25가 3.39, 대조구가 3.45으로 나타났다. 유의적인 차이를 나타냈다($p < 0.001$). 60분에서도 MG50이 4.51으로 가장 높게 나타났으며, 다음은 MG75이가 4.48, 대조구가 4.19, MG100이4.12, MG25가 4.08로 나타났으며. 유의적인 차이를 볼 수 있다($p < 0.001$).

80분에서는 MG75가 4,96로 가장 높게 나타났으며, MG50이 4.93, 대조구가 가 4.87, MG25가 4.67, MG100이 4.53으로

나타났으며, 유의적인 차이가 있었다(p<0.001). MG100은 다른 시료에 비해 발효율 변화의 폭이 작았으며, 대조구와, MG50, MG75가 발효력이 가장 좋은 것으로 나타났다. 발효시간 20 분 전까지는 유의적인 차이를 나타내지는 않았지만 20분 후부터는 유의적인 차이를 나타내는 것을 볼 수 있었다.

막걸리의 첨가량이 증가 할수록 대조구에 비하여 MG25는 발효율이 좋지 않았지만 MG50과 MG75는 지속적으로 좋은 것으로 나타났다, 이는 시중유통 막걸리의 평균 pH가 3.40-3.77(Lee SJ 외 2011)로써 발효 중 반죽의 pH에 영향을 주어 막걸리의 첨가량이 증가 할수록 발효의 적정 pH인 5.0~5.5이하로 떨어지게 되어 반죽의 pH가 낮아질수록 발효율이 증가하기(Lee2010) 때문에 나타나는 현상으로 사료 되며, 오디 농축액을 첨가한 식빵의 품질 특성(Leeet al2008), 맥주를 이용한 제빵 특성에 관한 연구(Suhet al2011)등과 유사한 결과를 나타내었으며, MG100의 경우 흑미주를 이용한 흑미 식빵의 제조에 관한 연구(Leeet al2004)에서 흑미주 30% 이상 첨가 시 발효율이 대조구보다 낮게 나타난 결과와 유사한 결과를 나타내었다.

Table 7. Fermentation rate of morning roll added with Makgeolli during fermentation

(cm)

	0 min	20min	40min	60 min	80 min
CON	2.27 ± 0.04^b	2.66 ± 0.04	3.45 ± 0.04^a	4.19 ± 0.04^b	4.87 ± 0.04^c
MG25	2.24 ± 0.01^b	2.69 ± 0.08	3.39 ± 0.01^a	4.08 ± 0.03^a	4.67 ± 0.09^b
MG50	2.26 ± 0.05^b	2.93 ± 0.07	3.85 ± 0.10^c	4.51 ± 0.10^b	4.93 ± 0.10^c
MG75	2.25 ± 0.03^b	2.70 ± 0.37	3.77 ± 0.06^c	4.48 ± 0.07^b	4.96 ± 0.08^c
MG100	2.12 ± 0.01^a	2.70 ± 0.11	3.59 ± 0.11^b	4.12 ± 0.08^a	4.53 ± 0.03^a
F-value	3.726^{NS}	1.156^{NS}	19.883^{***}	26.077^{***}	20.351^{***}

[a~c] Means denoted in a column by the by the same letter are not significantly different ($p < 0.05$) [***] $p < 0.001$.

[NS] Not significant.

*Legends are referred in Table 3.

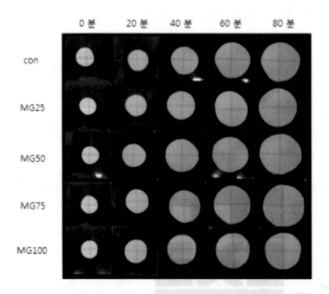

Fig. 6. Images of morning roll dough with Makgeolli during fermentation

* Legends are referred in Table 3.

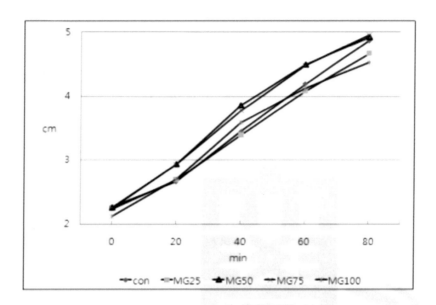

Fig. 7. Fermentation rate of morning roll added with Makgeolli during fermentation

*Legends are referred in Table 3

4. pH의 분석

막걸리의 첨가량을 달리한 각각의 반죽 직후의 pH와 1차발효 직후의 pH를 측정하여 반죽의 pH 변화와 모닝롤의 pH를 알아보았다. 반죽의 pH 측정 방법은 반죽 표면에 직접 탐침봉을 꽂아 pH를 측정하는 방법으로 surfaceelectrode method(Miller R. A·Graf.E·Hoseney R.C,1994)를 사용하였다.

탐침봉은 5 ㎝의 깊이로 꽂은 후 정확히 5초 후에 pH meter (Orion,model 720A)로 검사하였다. 모닝롤의 pH는 모닝롤의 속질 10 g 을 시료로 채취하여 25℃의 증류수 100 mL에 진탕한 다음 10분간 방치한 후 pHmeter를 이용하여 3회 반복 측정하였으며, 결과는 Fig 8과 Table 8에 나타내었다.

반죽 직후의 pH 결과는 대조구가 5.86, MG25가 5.74, MG50이 5.59, MG75가 5.55, MG100이 5.43로 막걸리의 첨가량이 증가 할수록 pH가 감소하는것으로 나타났으며, 대조구와 각각의 시료가 유의적인 차이를 나타내었다($P < 0.001$).

1차 발효 직후의 pH는 대조구가 5.51, MG25가 5.41, MG50이 5.31, MG75가 5.30, MG100이 5.16으로 막걸리의 첨가량이 증가 할수록 1차 발효 후의 pH도 감소하는 것으로 나타났으며, 대조구와 유의적인 차이가 있었다($P < 0.001$).

반죽의 pH결과는 유산균 발효에 의한 lactic acid 와succinic acid 등의 유기산 생성으로 설명 할 수 있다(Park YS & Chung SS 1996, Chung JY 2004, Sung & Han 2008). 이러한 결과는 탁주 분말첨가(Jeong & park 2006), 오디 농축액 첨가(Leeet al2008), 솔잎 발효액의 첨가(Choi 등 2007), 흑마늘 추출액 첨가(Yang SM 등 2010), 인삼막걸리로 제조한 증편의 품질특성(Sung & Han 2008) 등의 연구들과 같은 결과가 나타났다.

모닝롤의 pH는 대조구가 5.79, MG25가 5.71, MG50이 5.59, MG75가 5.46, MG100이 5.21로 막걸리의 첨가량이 증가 할수록 모닝롤의 pH도 감소하는 것으로 나타났으며, 대조구와 각각의 시료가 유의적인 차이를 나타내었다($P < 0.001$).

이러한 결과는 맥주를 이용한 제빵 특성에 관한 연구(Suhet al 2011), 막걸리박 열추출물 분말을 첨가한 모닝롤의 품질 특성(Lee & Kim2010) 등과 같은 결과를 나타내었다.

Table 8. pH for dough and morning roll with Makgeolli

	Dough		Morning roll
	Mixing	Fermentation	
CON	5.86 ± 0.06^{d}	5.51 ± 0.04^{d}	5.79 ± 0.04^{e}
MG25	5.74 ± 0.05^{c}	5.41 ± 0.02^{c}	5.71 ± 0.04^{d}
MG50	5.59 ± 0.01^{b}	5.31 ± 0.04^{b}	5.55 ± 0.03^{c}
MG75	5.55 ± 0.01^{b}	5.30 ± 0.06^{b}	5.46 ± 0.03^{b}
MG100	5.43 ± 0.03^{a}	5.16 ± 0.48^{a}	5.21 ± 0.02^{a}
F-value	71.617^{***}	36.938^{***}	104.036^{***}

[a-e] Means denoted in a column by the by the same letter are not significantly different ($p < 0.05$).

[***] $p < 0.001$.

*Legends are referred in Table 3

5. 모닝롤의 TPA(Texture Profile Analysis)분석

막걸리의 첨가량을 달리한 모닝롤의 물성 변화를 알아보기 위하여 TPA(TextureProfile Analysis)를 측정 하였으며 분석결과는 Table 9와 같다. 경도를 나타내는 hardness (g)는 대조구가 542.39, MG25가 506.02. MG50이 404.03, MG75가 520.57, MG100이 535.00으로 대조구와 MG25, MG75, MG100은 유의적인 차이가 없었다.

MG50이 가장 낮게 나타났으며, 대조구와 다른 시료 군에 대하여 유의적인 차이를 나타내었다($P<0.001$). 점착성을 나타내는 adhesiveness는 대조구가 -0.23, MG25가 -0.70, MG50이 0.10, MG75가 0.10, MG100이 -0.44로 나타났으며 유의적인 차이는 나타나지 않았다.

탄성을 나타내는 springiness는 대조구가 0.89 MG25가 0.92, MG50이 0.95, MG75가 0.91, MG100이 0.89로 대조구와 MG25, MG 75, MG100은 유의적인 차이가 없었다. MG50이 가장 높게 나타났으며, 대조구와 다른 시료 군에 대하여 유의적인 차이를 나타내었다($P<0.01$).

응집성을 나타내는 cohesivenesss는 대조구가 0.46, MG25가 0.48, MG50이 0.49, MG75가 0.48, MG100이 0.47로 나타났으며 대조구와 MG100은 유의적인 차이가 없었으며 MG25, MG

50, MG75는 유의적인 차이가 있는 것으로 나타났다($P<0.05$).
검성을 나타내는 gumminess는 반고체상태의 샘플을 삼킬 수 있는 상태로 만드는 성질(Kim외 2009)로 대조구가 248.26, MG25가 226.24, MG50이 196.51, MG75가 245.19, MG100이 237.15 로 대조구와 MG25, MG 75, MG100은 유의적인 차이가 없었다.

MG50이 가장 낮게 나타났으며, 대조구와 다른 시료 군에 대하여 유의적인 차이를 나타내었다($P<0.05$). 씹힘성을 나타내는 chewiness는 대조구가 235.74, MG25가 215.89, MG50이 185.85, MG75가 221.49, MG100이 219.39로 대조구와 MG25, MG 75, MG100은 유의적인 차이가 없었다. MG50이 가장 낮게 나타났으며, 대조구와 다른 시료 군에 대하여 유의적인 차이를 나타내었다($P<0.005$).

Hardness, gumminess, chewiness는 대조구에 비하여 MG50까지 점차 수치가 감소한 후 MG75 부터는 점차 증가하는 것으로 나타났다. adhesiveness, springiness, cohesiveness는 MG50까지 점차 수치가 증가 한 후 MG75 부터는 점차 감소하는 것으로 나타났다.

Table 9. Texture characteristics of morning roll with strong flour and Makgeolli by texture analyzer

	CON	MG 25	MG 50	MG 75	MG100	F-value
Hardness (g)	542.39 ± 17.98[b]	506.02 ± 3.52[b]	404.03 ± 53.89[a]	520.57 ± 8.69[b]	535.00 ± 10.00[b]	13.84[***]
Adhesiveness	−0.23 ± 0.19[a]	−0.70 ± 0.93[a]	0.10 ± 0.76[a]	0.10 ± 0.03[a]	−0.44 ± 0.74[a]	0.71[NS]
Springiness	0.89 ± 0.01[a]	0.92 ± .01[a]	0.95 ± 0.02[b]	0.91 ± 0.00[a]	0.89 ± 0.02[a]	6.29[**]
Cohesiveness	0.46 ± 0.00[a]	0.48 ± 0.00[b]	0.49 ± 0.02[b]	0.48 ± 0.00[b]	0.47 ± 0.00[a]	3.64[*]
Gumminess	248.26 ± 18.56[b]	226.24 ± 4.91[a]	196.51 ± 27.41[a]	245.19 ± 7.03[b]	237.15 ± 11.55[b]	5.03[*]
Chewiness	235.74 ± 8.67[b]	215.89 ± 4.30[b]	185.85 ± 26.63[a]	221.49 ± 8.56[b]	219.39 ± 10.25[b]	5.12[*]

[a-b] Means denoted in a column by the by the same letter are not significantly different ($p<0.05$).

[*] $p<0.05$. [**] $p<0.01$. [***] $p<0.001$. [NS] Not significant.

*Legends are referred in Table 3.

6. 모닝롤의 비용적

막걸리 첨가 모닝롤의 비용적은 종자 치환법으로 측정한 부피를 무게로 나누어 측정 하였다. 측정결과는 Table 10에 나타내었다. 부피는 대조구가 131.67, MG25가 135.00, MG50이 150.83, MG75가 149.17, MG100이 111.67로 나타났으며, 막걸리 첨가 량이 증가 할수록 대조구보다 증가 하였으나 MG100은 감소하는 것으로 나타났으며 유의적인 차이를 나타내었다($p<0.001$).

비용적은 대조구가 3.77, MG25가 3.92, MG50이 4.43, MG75가 4.39, MG100이 3.37로 부피와 마찬가지로 막걸리 첨가량이 증가 할수록 부피도 증가 하는 것으로 나타났으며 MG100 에서는 감소하는 것으로 나타났으며 유의적인 차이를 나타내었다.

부피와 비용적은 MG75 까지는 모두증가 하였으나 MG100에서는 감소하는 것으로 나타나 발효율과 같은 결과를 나타내었으며, 이러한 결과는 흑미주를 이용한 흑미식빵의 제조에 관한 연구(Lee et al2004)와 유사한 결과를 나타내었다. 이는 알코올류가 생지 중 글루텐과 전분의 소화 숙성을 촉진시켜 빵의 피막을 얇게 만든다(Rhee SK 1995).는 연구와 같이 과도한 막걸리의 첨가가 글루텐의 약화로 가스 보유력이 약화되었기 때문으로 사료된다.

Table 10. Volume and specific volume of morning roll with strong flour and Makgeolli

	Volume (mL)	Weight (g)	Specific Volume (mL/g)
CON	131.67 ± 10.41^{b}	34.9	3.77 ± 0.25^{b}
MG 25	135.00 ± 5.00^{b}	34.4	3.92 ± 0.11^{b}
MG 50	150.83 ± 10.10^{d}	34.4	4.43 ± 0.19^{c}
MG 75	149.17 ± 9.46^{cd}	33.9	4.39 ± 0.23^{c}
MG100	111.67 ± 2.89^{a}	33.1	3.37 ± 0.09^{a}
F-value	11.303^{***}		16.943^{***}

[a-d] Means denoted in a column by the by the same letter are not significantly different ($p < 0.05$).

*** $p < 0.001$.

*Legends are referred in Table 3.

7. 모닝롤의 색도

막걸리 첨가 모닝롤의 색도의 변화를 측정하여 Table 11에 나타내었다. 명도를 나타내는 L값은 대조구가 71.84, MG25가 74.76, MG50이 75.06, MG75가 75.93, MG100이 75.98로 막걸리 첨가량이 증가 할수록 명도가 높아지는 것으로 나타났으며, 대조구에 대하여 실험군에서 유의적인 차이가 있는 것으로 나타났다.

적색도를 나타내는 a값은 대조구가 3.15, MG25가 2.70, MG50이 2.78, MG75가 2.81, MG100이 2.92로 나타났으며 유의적인 차이는 나타나지 않았다. 황색도를 나타내는 b값은 대조구가 15.90, MG25가 14.78, MG50이 14.92, MG75가 14.84, MG100이 14.17로 막걸리의 첨가량이 증가 할수록 황색도가 줄어드는 것으로 나타났으며 대조구에 대하여 실험군이 유의적인 차이가 있는 것으로 나타났다(p<0.001).

이러한 결과는 홍국 발효액종의 첨가(Kim YE 외 2011), 대추 추출액의 첨가(Bae JH 외 2005), 칡즙 첨가(Choi & kim 2002), 감자즙을 첨가(Han GP외 2004), 오디 농축액을 이용한 제빵특성에 관한 연구(Leeet al2008) 등의 연구와 같이 진한색의 기능성 액체 재료를 첨가한 연구 등과는 상이한 결과를 나타내었다.

Table 11. Color value for morning roll with strong flour and Makgeolli

	L	a	b
CON	71.84 ± 0.17^a	3.15 ± 0.33	15.90 ± 0.28^c
MG 25	74.76 ± 0.15^b	2.70 ± 0.74	14.78 ± 0.37^b
MG 50	75.06 ± 0.05^b	2.78 ± 0.06	14.92 ± 0.14^b
MG 75	75.93 ± 0.10^c	2.81 ± 0.07	14.84 ± 0.31^b
MG100	75.98 ± 0.26^c	2.92 ± 0.16	14.17 ± 0.15^a
F-value	288.64^{***}	0.72^{NS}	16.35^{***}

[a~b] Means denoted in a column by the by the same letter are not significantly different ($p<0.05$).

[***] $p<0.001$. [NS] Not significant.

*Legends are referred in Table 3.

8. 관능검사

막걸리를 이용하여 제조한 모닝롤의 관능검사는 와 기호도 검사와 특성차이 검사로 나누어 실시하였다. 기호도 검사는 외관(appearance), 풍미(flavor), 질감(texture), 맛(taste), 전체적인 기호도(overall acceptance)를 측정 하였으며, 결과는 Table 12에 나타내었다.

특성차이 검사는 부피(volume), 껍질 색(crust color), 속질 색(crum color), 기공의 크기(grain size), 기공의 균일성(grain uniformity), 견고성(firmness), 탄력성(springness), 촉촉함(moistness), 막걸리 풍미(Makgeolli flavor), 알코올 향(alcoholaroma), 신맛(sour taste), 단맛(sweet taste)을 측정 하였으며, 결과는 Table 13에 나타내었다.

1) 기호도 검사

Appearance는 MG75가 5.00으로 가장 좋게 나타났으며, 대조구가 4.33, MG25가 4.71, MG50이 4.58, 그리고 MG100이 3.93으로 가장 좋지 않은 것으로 나타났으며, 대체적으로 유의적인 차이를 나타내었다(P<0.001). Flavor는 MG 25가 가장 좋은 것으로 나타났으나 유의적인 차이는 나타나지 않았다.

texture는 MG25가 자장 좋게 나타났으며 대조구가 가장 좋지 않은 것으로나타났다.

Taste는 MG25가 4.73으로 가장 좋게 나타났으며 MG75가 4.42로 가장 좋지 않은 것으로 나타났다. Overall acceptance는 대조구와 MG50이 4.58로 가장 높게 나타났으며,MG100이 가장 좋아하지 않는 것으로 나타났으며, color, flavor, texture, taste, Overall acceptance는 유의적인 차이가 나타나지 않았다.

2) 특성 차이 검사

Volume은 MG100이 2.73으로 가장 작게 나타났으며 대조구가 3.76, MG25가 4.27, MG75가 4.80, 그리고 MG50이 5.20 로 가장 크게 나타났으며 유의인 차이를 나타내었다(P<0.001).
Crust color는 대조구가 3.67, MG25가 4.42, MG50이 4.47, MG75가 3.62, Mg100이 5.40으로 Mg100의 껍질색이 가장 진하게 나타났으며 대조구와 MG75가 가장 연하게 나타났으며 유의적인 차이를 나타내었다(P<0.001).

Crumb color는 대조구가 3.69, MG25가 3.96, MG50이 3.71, MG75가3.71, MG100이 3.96으로 나타났으나 유의적인 차이는 나타나지 않았다. Grain size는 대조구가 4.96, MG25가 4.38, MG50이 4.18, MG75가 3.98, MG100이 3.96으로 대조구가 가장 크고 MG100이 가장 작은 것으로 나타났으며 대조구에 대하여 모든 시료들이 유의적인 차이를 보였으나 MG25, MG50, MG75는 차이가 없는 것으로 나타났다(P<0.001).

Grain uniformity는 대조구가 3.58, MG25가3.89, MG50이 4.09, MG75가 3.78, MG100이 4.11로 대조구가 가장 불균일하고 MG100이 가장 균일 한 것으로 나타났으나 유의적인 차이는 나타나지 않았다.

Grain Size와 uniformity의 결과는 맥주를 이용한 제빵 특성에 관한 연구(Suhet al2011)와 유사한 경향을 나타내었다. Firmness는 대조구가 3.80, MG25가 4.09, MG50이 3.87, MG75가 3.82, MG100이 4.29로 MG100이 가장 단단한 것으로 나타났으나 유의적인 차이는 나타나지 않았다.

Springness는 대조구가 4.13, MG25가 4.33, MG50이 3.11, MG75가 4.47, MG100이 4.73으로 대조구에 대하여 MG100이 유의적인 차이가 있는 것으로 나타났다. Moistness는 대조구가 4.24, MG25가 4.31, MG50이 4.62, MG75가 4.40, MG100이 4.38로 대조구가 가장 건조하고 MG50이 가장 촉촉한 것으로 나타 났으나 유의적인 차이는 나타나지 않았다.

Makgeolli flavor는 대조구가 2.98, MG25가 3.44, MG50이 3.58, MG75가 3.40, MG100이 3.60으로 MG100이 가장 높게 나타났으며 대조구에 대하여 MG100이 유의적인 차이가 있는 것으로 나타났다. Alcohol aroma는 대조구가 2.78, MG25가 3.36, MG50이 3.36, MG75가 2.91, MG100이 3.60으로

MG100이 가장 높게 나타났으며 대조구에 대하여 유의적인 차이가 있는 것으로 나타났다(P<0.05). Sour taste는 대조구가 3.07, MG25가 3.42, MG50이 3.31, MG75와 MG100이 3.82로 나타났으며 MG75와 MG100이 대조구와 유의적인 차이가 있고 MG25와 MG50과는 유의적인 차이가 없는 것으로 나타났다. Sweet taste는 대조구가 3.53, MG25가 3.47, MG50이 3.82, MG50이 3.66, MG`100이 4.09로 MG100이 단맛이 가장 강한 것으로 나타났으며 대조구와 MG100이 유의적인 차이가 있는 것으로 나타났다.

Table 12. Sensory evaluation for preference test of Makgeolli morning roll

	CON	MG25	MG50	MG75	MG100	F-value
Appearance	4.33 ± 1.02^{ab}	4.71 ± 0.97^{bc}	4.58 ± 1.22^{b}	5.00 ± 1.11^{c}	3.93 ± 1.21^{a}	5.926^{***}
Flavor	4.56 ± 0.99	4.73 ± 0.91	4.58 ± 1.08	4.44 ± 1.12	4.60 ± 1.25	0.416^{NS}
Texture	4.38 ± 1.05	5.09 ± 3.39	4.76 ± 1.03	4.51 ± 1.24	4.00 ± 1.41	1.502^{NS}
Taste	4.64 ± 1.09	4.73 ± 0.94	4.64 ± 0.98	4.42 ± 1.36	4.60 ± 1.42	0.432^{NS}
Overall	4.58 ± 1.16	4.56 ± 1.99	4.58 ± 0.92	4.51 ± 1.20	4.24 ± 1.49	0.662^{NS}

[a-c] Means denoted in a row by the same letter are not significantly different (P<0.05).
[***] $P<0.001$. [NS] Not significant.
* Legends are referred in Table 3

Table 13. Sensory evaluation for difference test of Makgeolli morning roll

	CON	MG25	MG50	MG75	MG100	F-value
Volume	3.76 ± 0.83^{b}	4.27 ± 0.89^{c}	5.20 ± 0.87^{e}	4.80 ± 0.73^{c}	2.73 ± 0.81^{a}	60.942^{***}
Crust color	3.67 ± 1.04^{a}	4.42 ± 0.99^{b}	4.73 ± 0.94^{b}	3.62 ± 1.15^{a}	5.40 ± 5.84^{c}	23.808^{***}
Crum color	3.69 ± 0.92	3.96 ± 1.00	3.71 ± 1.06	3.71 ± 0.79	3.96 ± 0.90	0.975^{NS}
Grain Size	4.96 ± 0.90	4.38 ± 1.03^{b}	4.18 ± 0.83^{b}	3.98 ± 1.08^{b}	3.38 ± 1.09^{a}	15.137^{***}
Uniformity	3.58 ± 1.44	3.89 ± 1.45	4.09 ± 1.41	3.78 ± 1.18	4.11 ± 1.39	1.316^{NS}
Springness	3.80 ± 1.46	4.09 ± 1.41	3.87 ± 1.34	3.82 ± 1.42	4.29 ± 1.52	0.975^{NS}
Firmness	4.13 ± 1.22^{a}	4.33 ± 1.19^{ab}	3.11 ± 1.20^{ab}	4.47 ± 1.24^{ab}	4.73 ± 1.50^{b}	1.380^{NS}
Moistness	4.24 ± 1.15	4.31 ± 1.04	4.62 ± 1.19	4.40 ± 1.27	4.38 ± 1.17	0.678^{NS}
Makgeolli flavor	2.98 ± 1.51^{a}	3.44 ± 1.27^{ab}	3.58 ± 1.36^{ab}	3.40 ± 1.60^{ab}	3.71 ± 1.63^{b}	1.569^{NS}
Alcohol aroma	2.78 ± 1.35^{a}	3.36 ± 1.25^{ab}	3.36 ± 1.40^{ab}	2.91 ± 1.36^{a}	3.60 ± 1.56^{b}	2.607^{*}
Sour taste	3.07 ± 1.05^{a}	3.42 ± 1.11^{ab}	3.31 ± 1.44^{ab}	3.82 ± 1.41^{b}	3.82 ± 1.34^{b}	2.980^{*}
Sweet taste	3.53 ± 1.06^{a}	3.47 ± 1.04^{a}	3.82 ± 1.09^{ab}	3.66 ± 1.00^{ab}	4.09 ± 1.22^{b}	2.376^{NS}

[a-e] Means denoted in a column by the by the same letter are not significantly different ($p<0.05$).
[*] $p<0.05$ [***] $p<0.001$, [NS] Not significant.

*Legends are referred in Table 3.

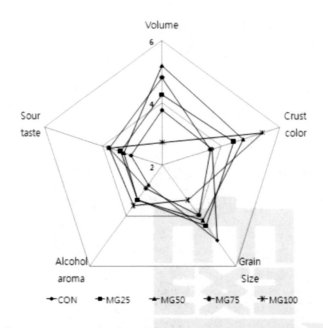

Fig. 9 Sensory evaluation for difference test of Makgeolli morning roll

◈ 결론

2000년대 중반이후 우리의 전통주인 막걸리에 대한 관심이 증가되고 이에 따라 매년 막걸리의 매출 또한 증가하면서 쥐를 이용한 막걸리의 생리활성에 관한 연구, 그리고 막걸리의 항암 효과에 관한 연구 등이 진행 되어 왔다. 본 연구는 우리 전통주인 막걸리의 생산과 소비를 촉진 시키고 더 나아가 주원료인 쌀의 소비를 촉진 시키고자 반죽에 막걸리를 이용하여 모닝롤을 제조하였으며 막걸리의 첨가량에 따른 제빵 적성을 알아보기 위하여 mixograph을 사용하였고, 막걸리 첨가량에 따른 반죽의 특성을 알아보기 위하여 TA를 이용하여 stickiness를 측정하고, 발효율과 반죽의 pH를 측정 하였다.

제품의 특성을 비교 분석하기 위하여 TPA를 이용하여 모닝롤의 조직감을 측정하였으며, 모닝롤의 비용적 및 색도 그리고, 특성차이검사와 기호도 검사를 실시하였다. 1. Mixograph를 이용하여 mixogram 을 분석 하였으며, 결과는 반죽의 내구성 및 특성 중 Peak time은 실험결과 실험군 모두 3~5분 사이로 적합한 것으로 나타났다.

Peak value는 대조구와 MG25, MG50이 60% 이상으로 나타났다. Peak time이 3~5분, Peak value가 60% 이상에서 제빵 적성에 적합한 것으로 미루어 볼 때 MG75와 MG100이 Peak value에서 수준에 미치지는 못하였으므로 시료 중 MG25 와 MG50이 적합한 것으로 나타났다.

2. 반죽의 stickiness는 막걸리의 첨가량이 증가 할수록 점착력이 작아지는 것으로 나타났다.

3. 반죽의 발효율 측정 결과는 40 min 이후부터 유의적으로 차이가 있는 것으로 나타났다. 대조구는 60 min 까지 거의 일정한 간격으로 증가 하여 2.27cm에서 4.19로 증가 하였다, 반면 MG25는 2.24 cm에서 4.08, MG100은 2.12에서 4.12로 대조구에 비하여 작은 증가 폭을 나타냈고, MG50과 MG75는 20 분부터 급격한 발효율 증가를 보이며 각각 2.26에서 4,51, 2,25에서 4.48로 대조구 보다 증가 폭이 크게 나타났다. 최종적으로는 MG50과 MG75가 각각 4.93, 4.96으로 대조구의 4.87보다 좋게 나타났고 MG25와 MG100은 대조구보다 발효율 이 좋지 않은 것으로 나타났다.

4. pH 측정 결과 막걸리의 첨가량이 증가 할수록 반죽 직후의 pH와 1차 발효 후의 pH 그리고 모닝롤의 pH 모두 낮아지는 것을 확인 할 수 있었다.

5. 반죽의 TPA 분석결과 hardness는 MG50이 가장 단단하지 않은 것으로 나타났으며, adhesiveness는 유의적인 차이를 나타내지 않았다. springiness 또한 MG50이 가장 탄력이 있는 것으로 나타났다. cohesiveness는 MG25와 MG50, MG75 가 응집력이 강한 것으로 나타났고, gumminess 또한 MG50이 가장 낮은 것으로 나타났다, chewiness는 MG50이 가장 낮게 나타났다.

이러한 결과는 막걸리 50 % 첨가 시 모닝롤을 가장 부드럽게 할 것으로 사료된다.

6. 모닝롤의 비용적 측정 결과 부피와 비용적 모두 막걸리 첨가량이 50 % 인 MG50이 가장 큰 것으로 나타났다.

7. 모닝롤의 색도 측정결과 명도를 나타내는 L 값은 막걸리의 첨가량이 증가할수록 높아지는 것으로 나타났다. 적색도를 나타내는 a값은 유의적인 차이가 없었으며, 황색도를 나타내는 b값은 낮아지는 것으로 나타났다.

8. 관능검사 중 특성차이검사 결과 중 부피는 MG50이 5.20 로 가장 크게 나타났으며 대조구와 모든 시료가 유의인 차이를 나타내었다(P<0.001). 껍질색은 대조구와 MG75가 가장 연하게 나타났으며 유의적인 차이를 나타내었다(P<0.001). 속질색은 대조구가 3.69, MG25가 3.96, MG50이 3.71, MG75가 3.71, MG100이 3.96으로 나타났으나 유의적인 차이는 나타나지 않았다.

기공의 크기는 대조구가 가장 크고 MG100이 가장 작은 것으로 나타났으며 대조구에 대하여 모든 시료들이 유의적인 차이를 보였으나(P<0.001), MG25, MG50, MG75는 차이가 없는 것으로 나타났다. 기공의 균일성은 대조구가 가장 불균일하고 MG100이 가장 균일 한 것으로 나타났으나 유의적인 차이는 나타나지 않았다. 견고성은 MG100이 가장 높은 것으로 나타났으나 유의적인 차이는 나타나지 않았다.

탄력성은 MG100이 가장 탄력적인 것으로 나타났다. 촉촉함은 대조구가 가장 건조하고 MG50이 가장 촉촉한 것으로 나타났으나 유의적인 차이는 나타나지 않았다. 막걸리 향은 MG100이 가장 높게 나타났으며 대조구에 대하여 MG100 만이 유의적인 차이가 있는 것으로 나타났다.

알코올 향은 MG100이 가장 높게 나타났으며 대조구에 대하여 유의적인 차이가 있는 것으로 나타났다(P<0.05). 신맛은 MG100이 가장 높게 나타났으며 MG75와 MG100이 대조구와 유의적인 차이가 있고 MG25와 MG50과는 유의적인 차이가 없는 것으로 나타났다(P<0.05). 단맛은 MG100이 단맛이 가장 강한 것으로 나타났으며 대조구와 MG100이 유의적인 차이가 있는 것으로 나타났다.

9. 관능검사 중 기호도 검사 결과에서 외관은 MG75가 5.00으로 가장 좋게 나타났으며, MG100이 3.93으로 가장 좋지 않은 것으로 나타났으며, 대체적으로 유의적인 차이를 나타내었다. 색은 MG50이 가장 좋게 나타났다. 향은 MG 25가 가장 좋은 것으로 나타났으나 유의적인 차이는 나타나지 않았다.

조직감은 MG25가 자장 좋게 나타났다. 맛은 MG25가 4.73으로 가장 좋게나타났으며 MG75가 4.42로 가장 좋지 않은 것으로 나타났다. 전체적인 기호도는 대조구와 MG50이 4.58로 가장 높게 나타났으며, MG100이 가장 좋아하지 않는 것으로 나타났으며, color, flavor, texture, taste, Overall acceptance는 유적인 차이가 나타나지 않았다. 이상의 실험 결과 막걸리의 첨가가 반죽의 질과 되기, 점착성에 영향을 미치는 것으로 나타났고, 막걸리 자체의 낮은 pH로 인하여 반죽의 pH를 낮추어 발효 시 가스 보유력을 높여 부피의 증가 요인으로 나타났으며 발효 시작부터 급격한 발효율의 증가로 미루어보면 50 %와 75 %의 막걸리 첨가 시 1차 발효의 시간을 단축시킬 수 있을 것으로 사료되나, 반면 막걸리 100 % 첨가는 발효율의 증가가 느리게 진행되어 일반적인 모닝롤 제조 공정 에서는 부피가 작게 나타났다.

그럼으로 막걸리를 첨가하여 모닝롤을 제조 한다면 50가 적당 할 것으로 사료된다. 본 연구의 한계점 및 향후 과제로는 첫 째 저장성에 관한 연구가 진행되지 않은 점으로 제품의 pH 는 미생물의 안전성을 도와준다(Lee HJ 외 2009)는 점을 고려하면 막걸리의 첨가량이 증가 할수록 pH가 낮았다. 그럼으로 막걸리의 첨가가 저장성에 영향을 미칠 것으로 사료되며 향후 저장성에 대한 연구가 진행 되어야 할 것으로 생각되며, 막걸리 100% 첨가 시 발효율이 느리게 증가되는 점을 고려하면 발효율 측정 시간을 늘려 측정하여 더 다양한 발율효율 변화를 측정할 수 있을 것이다.

우리 민족은 예부터 다양한 전통 술과 전통 음료를 만들어 음용하였으며 우리의 전통 식품은 건강식으로 해외에 널리 알려져 있다.

그럼으로 전통문화의 계승과 발전, 그리고 전통 음식의 소비 촉진과 더 나아가 한식의 세계화를 위하여 다양한 우리의 전통 식품과 연계된 베이커리 제품이 만들어 질 수 있도록 더 깊은 연구가 진행 되어져야 할 것으로 사료된다.

■ 참고문헌 ■

고정삼. 양조공학. 유한문화사. pp 122 (2008)

대철. 와인과 포도. 한올 출판사. pp4 (2009)

노완섭, 이석현. 양조학. 백산출판사. pp 337 (2004)

박록담. 버선발로 디딘 누룩. 코리아쇼케이스. pp20 (2005)

박록담. 다시 쓰는 주방문(酒方文). 코리아쇼케이스. pp18 pp69~67 (2005)

배송자. 전통 웰빙주 막걸리. 하남출판사(2011)

유대식, 유영현. 우리 누룩의 정통성과 우수성. 월드사이언스 (2011)

윤숙자. 한국의 저장 발효음식. 신광 출판사(1997)

윤숙자. 한국(韓國)의 시절음식(時節飮食). 지구문화사. pp114 (2000)

윤숙자, 권희자. 아름다운 우리 술. 도서출판 질시루. pp 46, 49 (2007)

이광석. 최신제과제빵론. B & C world (2010)

이효지. 한국 전통 민속주. 한양대학교 출판부. pp11~12(2009)

정대성. 재일교포가 찾아낸 우리 술의 역사와 문화 그리고 지혜. 이회문화사.pp81(2006) 식품의약품안전청, 식품공전.

주세법 시행령 제4조 제2항 [별표]〈개정 2010. 12.27〉

강은식. Sourdough의 발효시강에 따른 제품의 특성변화에 관한 연구.

경희대학교 대학원 석사논문. (2004)

서상욱. 맥주를 이용한 제빵특성에 관한 연구.

경희대학교 대학원석사논문. (2011)

이현정. 흑미주를 이용한 흑미식빵의 제조에 관한 연구

경희대학교 대학원석사논문. (2004)

주형욱. 흑마늘 가루를 첨가한 식빵의 품질 특성에 관한 연구.

경희대학교 대학원 석사논문. (2010)

김현수, 현지숙, 김 정, 하현팔, 유대식 : 전통 누룩 곰팡이의 연구동향. (생물산업,Vol. 10 NO. 3,[1997])

강신욱(2006). 지역특산물을 이용한 건강기능식품 개발. 경북전문대학 논문집. 24: 167~183.

강은식(2004). Sourdough의 발효시간에 따른 제품의 특성변화에 관한 연구. 경희대학교 관광대학원 석사논문. 17~18.

강창수·마상조·조원대·김진만(2003). 오디색소의 안정성. 한국영양과학회지32(7): 960~964.

고광출(1995). 뽕나무 과실의 과수화와 이용기술연구(Ⅱ)뽕나무 과수화 기초연구 농업특정연구개발사업보고서. 농촌진흥청. 5~26.

고광출(1994). 뽕나무 과실의 과수화와 이용기술연구(Ⅰ) 뽕나무 과수화 기초연구 농업특정 연구개발 사업보고서. 농촌진흥청. 4~11.

구관모(2006). 내 몸을 살리는 천연식초. 국일미디어. 101~104.

권경순·김영수·송근섭·홍선표(2004). 복분자 착즙액을 첨가한 식빵의 품질 특성. 한국식품영양학회지. 17(3): 272~277.

기미라·김래영·전순실(2005). 김치 분말을 첨가한 식빵의 반죽

특성, 동아시아식생활학회지. 15(3): 334~339.

김나영·김성환(2005). 홍삼 분말 첨가 식빵의 이화학적 및 관능적 특성. 동아시아식생활학회지. 15(2): 200~206.

김래영·기미라·김문용·이군자·최현미·전순실(2005). 김치 분말첨가 식빵의품질 특성. 동아시아식생활학회지. 15(3): 440~345.

김선여(1999). 봉잎의 기능성 효과구명. 한국잠사학회지. 41(S2)호: 21~42.

김성호(2005). 채소혼합분말을 이용한 베이커리제품의 특성에 관한 연구. 경희대학교 대학원 석사논문.

김신영·박현정(2004). 의식주의 새물결 Well-being. 월간 제과제빵. 189:74.

김애정·여정숙(2003). 오디추출물의 기능성 물질 탐색에 관한 연구 오디추출물의 기능성 물질 탐색에 관한 연구. 한국식품영양학회: 학술대회지 하계학술 심포지엄. 82~82.

김애정·김미원·우나리야·김명희·임영희(2003). 오디 추출액 첨가비율에 따른 오디편의 품질특성에 관한 연구. 한국조리과학회지. 9(6): 708~714.

김영호·조남지·임무혁(2005). 누에가루 첨가 반죽의 물성 변화 및 빵의 품질 특성. 한국식품과학회지. 37(3): 377~388.

김정란·최옥자·심기훈(2005). 발효차 가루를 첨가한 식빵의 품질특성. 한국식품영양과학회지. 34(6): 869~874.

김태완·권영배·이장헌·양일석·염종경·이희삼·문재유(1996). 오디의 항 당뇨 효능에 관한 연구. 한잠학회. 38(2): 100~107.

김태완·권영배(1996). 오디의 항당뇨 효능에 관한 연구 한국잠사학회지.38(2): 100~107.

김현복·김선림·문재유(2002). 오디 Anthocyanin 색소 정량 및 품종 변이.

한국육종학회지. 34(3): 207~211.

김현복·성규병·강석우(2005). 오디 생산을 위한 뽕나무계통별 과실 특성평가 한국작물학회지. 50(S): 224~227.

김현복·김애정·김선여(2003). 오디의 기능성 물질 분석 및 개발식품 동향,식품과학과 산업지. 36(3): 49~60.

김현복·김선림·강석우(2004). 뽕나무 계통별 오디의 아미노산 함량 분석.한국잠사학회지. 46(2): 47~53.

김현복·김애정·김선여(2003). 새로운 기능성식품으로서의 양잠산업. 오디의기능성 물질 분석 및 개발식품 동향. 한국식품과학회지. 36(3): 49~60.

김현복·이용우·이완주·문재유(2001). 청일뽕 오디를 이용하여 제조된 침출주의 관능평가 및 생리활성연구. 한국잠사학회지. 43(1): 16-20.

김현복·김선여·류강선·이완주·문재유(2001). 뽕나무 품종별 오디추출물의 섭취가 흰쥐의 지질대사 및 간장기능에 미치는 영향. 한국잠사학회지.43(2): 104~108.

김현복·김선여·이항영·김선림·강석우(2005). 오디 추출물의 신경세포 보호활성및 항균활성. 한국작물학회지. 220~223.

김현복·방혜선·이희완·석영식·성규병(1999). 뽕나무 품종별 오디의 화학적 특성. 한국잠사학회지. 42(3): 123~128.

농촌생활연구소(1994). 나무 과실의 과수화와 이용기술 연구. 농촌
진흥청 농업특정연구 과제개발보고서.

농촌진흥청(1993). 식품성분표.

농촌진흥청(2003). 식품성분표.

농촌진흥청(2001). 식품성분표(제 6개정판).

대한제과협회(1994). 다양화 추세에 있는 미국의 건강빵, 월간베이
커리.9(314): 58~59.

문혜경·한진희·김준한·김귀영·강우원·김종국(2004). 곶감 열수추출물
을 첨가한 식빵의 품질특성. 한국식품영양과학회지. 33(4):
723~729.

박성희·임성일(2007). 홍국분말을 첨가한 머핀의 품질 특성. 한국
식품과학회지. 39 (3): 272~275.

박세원·정이숙·고광출(1997). 오디 품종간 안토시아닌 정량분석 및
생리활성 검색. 한국원예학회지. 38(6): 722~724.

배종호·이주현·권광일·임무혁·박건상·이종구·최희진·정석윤(2005).
대추 추출액 첨가량을 달리하여 제조한 식빵의 품질 특성. 식품과
학회지37(4): 603~610.

성규병(2006). 오디 산업의 현황과 전망. 실크로드 여름호.

성규병(2006). 오디 산업의 현황과 전망. 한국잠사학회49회 춘계
학술연구발표회. 4~5.

식약청 식품성분표(1996).

신한 FSB 리뷰-산업정보(2007). 성장하는 건강기능식품.

이소영·최정수·최미옥·조선희·김꽃봉우리·이우현·박선미·안동현

(2006). 감초와 강황 추출물 첨가에 의한 식빵의 저장성 및 품질 증진 효과. 한국식품영양과학회지. 35(7): 912~918.

안창순·여정숙(2004). 봉잎머핀에 대한 관능평가 및 이화학적 특성, 동아시아식생활학회지. 14(6): 576~581.

안혜령(2005). 우리밀을 이용한 한국형 샤워빵의 특성. 경희대학교 대학원 석사논문.

오성천·남혜영·조정순(2002). 마가루 첨가에 따른 스폰지케익의 품질 및 관능적 특성. 한국식품조리과학회지. 18(2): 185~192.

월간 닭고기(2004). 기능성 식품 시장 현황 (사)한국계육협회 편집부. 54(48) 114호: 42~44.

월간 베이커리(2004). 소재를 살린 기능성 빵. 429: 59~77.

월간 제과제빵(2004) 빵과 건강식품이 만났을 때. 195: 72~73

유선미·장창문(1996). 오디를 이용한 식품제조방법. 농촌생활과학지. 17(1): 20~24.

이완주(2003). 성인병을 예방하는 봉잎건강법. 중앙생활사. 128~129.

이광석(2001). 발효식빵의 영상분석평가에 관한 연구. 동국대학교 대학원 박사논문.

이광석(1997). 제과제빵론. 경희호텔경영대학 출판부. 5.

이광석(2006). 제과제빵의 기능성 개발 사례. 한국제과제빵학회 학술세미나.1~11.

이상윤(2007). 건강기능식품 시장현황과 향후 전망. 식품과학과 산업 6호.16~20.

이예경·김미정·이승배·김순동(2005). 키토산 청국장을 첨가하여 제조한 깆펠 쿠키의 품질 특성. 동아시아식생활학회지. 15(4): 437~443.

이예경·이명예·김미정·김순동(2004). 청국장 물 추출물이 반죽의 발효와 빵의품질 특성에 미치는 영향. 동아시아식생활학회지. 14(5): 487~494.

이주현·권광일·배종호(2005). 대추 추출액을 첨가한 빵 반죽의 이화학적특성. 한국식품과학회지. 37(4): 590~596.

이종원·도재호(2005). 건강기능식품의 시장현황 및 인삼시장의 전망. 고려인 삼학회지. 29(4): 206~214.

이철수(2005). 건강기능성 식품의 국내외 개발 및 연구동향. 식품기술 18(4).

이현정(2004). 흑미주를 이용한 흑미식빵의 제조의 관한 연구. 경희대학교 대학원석사논문.

이형우(1996). 호텔베이커리의 건강빵 기본모델설정에 관한 연구. 한국조리학회지.123~146.

이희완·신동화·이완주(1998). 몇 가지 봉품종에 따른 오디의 형태 및 화학적 성분의 특성. 한국잠사학회지. 40(1): 1~7.

일본건강산업신문(2005). CMP Japan,

전국한의과대학 본초학 교수 공저 편(1991). 본초학 제17장 보익약. 영림사.

정기태·주인옥·최동근(2005). 오디 와인 제조 및 품질특성, 한국식품저장유통학회지. 12(1): 90~94.

정기태·주인옥·최정식·최영근(2001). 버섯을 이용한 젤리 제조 및 품질 특성에관한 연구. 한국식품영양학회지. 14(5): 405~410.

정현실·노경희·고미경·송영선(1999). 부추의 첨가가 식빵의 물리화학적 및 관능적 특성에 미치는 영향. 한국식품영양과학회지. 28(1): 113~117.

조미자·김애정(2007). 오디분말차 제조 및 생리활성 평가. 한국식품영양학회지. 20(2): 173~178.

채동진(2006). Lactic acid bacteria를 이용한 sourdough bread의 최적화 방법에 관한 연구. 경희대학교 대학원.

최경식(2005). 웰빙소비와 시장기회. 기능식품신문. 46:12

최선례(2005). 건강기능식품 세계시장현황과 국내시장현황. 기능식품신문. 01.06.

최희영(2005). 천연과즙을 이용한 치즈의 품질특성. 순천대 대학원 석사논문.

하인리히 E.야콥 지음, 곽명단·임지원 옮김(2005). 빵의 역사. 우물이있는집.

한경필·이갑랑·한재숙·소기신행·김동석·김정애·배종호(2004). 감자즙을 첨가한 기능성 식빵의 품질 특성. 한국식품과학회지. 36(6): 924~929.

한국영양학회(2000). 한국인영양권장량. 제 7차 개정판. 216~266

한명규(2003). 기능성 성분을 가진 식품의 인체 건강 유용성에 대한 연구.

한국식품영양학회지. 16(3): 224~231.

허석현(2007). 특집: 건강기능식품의 기능성표시 광고제도 현황과 발전방향. 식품과학과 산업. 40(2): 11~15.

허석현·김영전(2003). 건강기능식품법의 주요내용과 이해. 식품과학과 산업3월호. 26~33,

허준(1994). 동의보감 역. 민중서각. 1217~1220.

후지마키마사오(2002). 기능성 식품과 건강. 아카데미 서적. 15.

AboubakarX,NjintangNY, ScherJ,Mbofung CMF. Texture, microstructure and physicochemical characteristic oftaro as influenced bycooking conditions.J. FoodEng. 91(3): 373-379(2009)

Allen ON, AllenEK. The manufacture of poifrom taro inHawaii withspecial emphasisuponits fermentation. Hawaii Agric. 70: 32(1933)

AmonAS, Soro RY, AssemandEF, DuéEA,KouaméLP. Effect ofoiling time onchemical compositionand physico-functional propertiesof flours from taro(Colocasia esculenta cvfouê) corm growninCôted'Ivoire.J. FoodSci. Technol. 51(5): 855-864 (2014)

AOAC.Official methodofanalysis. 15thed.Method777, 780, 788. The associationofofficial analytical chemistry, WashingtonDC,USA(1990)

BaeKM, ParkSH,JungKH,KimMJ, Hong SH, SongYO,Lee

HS.Effectsofroasting conditionson physicochem icalproper tiesand sensory propertiesofLiriopistuber.J,KoreanSoc, Foo dSci.Nutr.39(10): 1503-1508 (2010)

Bae SK,KimMR. Effectsof sodium metabisulfite andadipic acidon browning ofgarlicjuice concen tratedu ringstorage .Korean J. Soc.FoodCookerySci. 18(1): 73-80 (2002)

Ban YJ, Baik MY, HahmYT,Kim HK,Kim BY.Optimizationof processing conditions for making ablackginger and design mixtureforblackgingerdrinks. FoodEng. Progr. 14(2): 112-117(2010)

BenzieIFF, Strain JJ. Theferric reducing abilityof plasma(FRAP) as a measure of"antioxidantpower": The FRAP assay. Anal. Biochem. 239(1): 70-76 (1996)

Bradbury JH,NixonRW. The acridityofraphides from the edible aroids.JSci. FoodAgric. 76(4): 608-616 (1998)

Brand-Williams W, CuvelierME, Berset C.Use ofafree radical methodto evaluate antioxidant activity. LWT-FoodSci. Technol. 28(1): 25-30 (1995)

CatherwoodDJ, Savage GP,MasonSM, SchefferJJC, Douglas JA. Oxalate content ofcormelsof japanese taro andthe effect of cooking.J. FoodCompost. Anal. 20(3-4): 147-151 (2007)

Cha HS. Physicochemicalpropertiesandantioxidant activity of black garlic (Allium sativum L.) dependonaging periods. Master thesis. Kyung HeeUniversity. Seoul.KOR (2012)

ChoiJH,KimKY,LeeJC. Effectsof pre-pressing conditionon qualityof pearjuice.Korean J. FoodSci. Technol. 30(4): 827-831(1998)

Dubois M, Gilles KA, Hamilton JK, RebersPA, Smith F. Colorimetricmethod fordeterminationof sugarsandrelated substances. Anal. Chem. 28(3): 350-356 (1956)

Emmanuel-Ikpeme CA, Eneji CA, EssietU. Storagesta bilityand sensoryevaluationoftaro chips friedin palm oil,palm oleinoil, groundnut oil,soybeanoil andtheirblends. Pakistan J.Nutr. 6(6):570-575 (2007)

Holloway WD, ArgallME,Jealous WT,LeeJA, Howard-Bradbury J. Prganic acidsandcalcium oxalate intropical root crops.J. Agric. FoodChem. 37(2): 337-341 (1989)

Hong HD,KimYC, RhoJH,KimKT,LeeYC. Changeson phys icochemicalpropertiesofP anax gisengC. A.Meyerduring repeated steamingprocess.J. Ginseng Res. 31(4): 222-229 (2007)

Igbabul BD, AmoveJ, TwadueL. Effect of fermentatio nontheproximate composition, antinutritionalfactorsand functional propertiesofcocoyam (Colocasia esculenta)flour.

Afr.J. FoodSci. Technol. 5(3): 67-74 (2014)

Jang EK, SeoJH,Lee SP. Physiological activityandantio xidative effectsofaged blackgarlic(Allium sativum L.) extract. Korean J. FoodSci. Technol. 40(4): 443-448 (2008)

Jeong SW,JeongJW. Comparisonof shelf-life on peeled taro(Colocasia antiquorum SCHOTT)storedinvariousimmersi onliquids.Korean J. FoodPreserv. 9: 154-160 (2002)

Kim CJ,Kim EK. 토란과 토란 전분의 이화학적 성질과 가공 적 성. Food Ind.Nutr. 3(1): 55-64 (1998)

Kim CS,Jang DS, Che SY. Histological Characteristicsof koreanred ginseng in steamingprocesses.Korean J.Medicinal CropSci.14(1): 36-40 (2006)

Kim DO,LeeLW,Lee HJ,Lee CY.Vitamin C equivalent antioxidant capacity(VCEAC) of phenolicphytochemicals.J. Agric. FoodChem. 50(13): 3713-3717 (2002)

Kim EK, Chung EK,Lee HO,Yum CA. Astudyon physicochemical propertiesoftaroduring thepretreatmentpro cessofmaking Toranbyung.J. The East AsianSoc. Dietary Life. 5: 255-262(1995)

Kim HJ,LeeJY,You BR,Kim HR, ChoiJE,Nam KY,MoonBD, KimMR. Antioxidant activitiesofethanol extracts fromblack ginsengprepared by steaming-drying cycles.J.KoreanSoc. FoodSci.Nutr. 40(2): 156-162 (2011)

Kim JC,Yi HC,LeeKU, HwangKT,Yoo GC.Optimizationofthe extractionof bioactive compounds from chaga mushroom(Inonotusobliquus)bythe responsesurface methodology.Korean J. FoodSci. Technol. 47(2): 233-239 (2015)

Kim SD, DoJH,Oh HI. Antioxidant activityof panax ginseng browningproducts.J.KoreanAgr. Chem. Soc. 24(3) : 161-166(1981)

Kim SH.Methodto manufactureblack yam usingyam. KR-A-101404391. (2013)

Lee GY, Son YJ,Jeon YH,Kang HJ, HwangIK. Changesinthe physicochemicalpropertiesand sensorycharacteristicsof burdock(Arctium lappa)during repeated steaming and dryingprocedures. Korean J. FoodSci. Technol. 47(3): 336-344 (2015)

Lee HR,Jung BR, Park JY, HwangIW,Kim SK, ChoiJU,Lee SH, Chung SK. Antioxidant activityandtotalphenolic contentsof grapejuiceproductsinthekoreanmarket.Korean J. FoodPreserv. 25(3): 445-449 (2008)

LeeJW, DoJH. Currentstudieson browning reaction productsand acidicpolysaccharide in koreanredginseng.J. Ginseng Res. 30(1): 41-48 (2006)

LeeYR,WooKS, HwangIG,Kim HY,Lee SH,LeeJS,Jeong

HS. Physicochemical properties and antioxidantactivities ofgarlic(Allium SativumL.)withdifferent heat and pressure treatments.J.KoreanSoc. FoodSci.Nutr. 41(2) 278-282 (2012)

LuY, FooLY. Antioxidant andradicalscavenging activitiesof polyphenols from applepomace. FoodChem. 68(1): 81-85 (2000)MagaJA. Taro: Compositionand fooduses. Food Rev.Int. 8(3):443-473 (1992)

Miller GL.Use of dinitrosalicylic acidreagentfordetermina tionofreducingsugar. Anal. Chem. 31(3): 426-428 (1959)

Moon JH, Choi HD, ChoilW,KimYS. Physicochemicalpro pertiesoftaroflours withdifferentdrying, roasting, and steaming conditions.
Korean J. FoodSci. Technol. 43(6): 696-701 (2011)

Moon JH,Kim RS, Choi HD,KimYS.Nutrient composi tionandphysicochemicalpropertiesofkoreantaroflours according to cultivars.Korean J. FoodSci. Technol. 42(5): 613-619 (2010)

Moy JH,WangNTS,NakaYama TOM. Dehydrationandproces sing problemsoftaro.J. FoodSci. 42(4): 917-920 (1977)

Nguimbou RM,NjintangNY,MakhloufH, Gaiani C, ScherJ, Mbofung CM. Effect ofcross-section differencesanddrying temperature onthephysicochemical,functional andantioxida ntpropertiesofgiant taroflour. FoodBioprocessTechnol. 6(7): 1809-1819 (2013)

NoonanSC.Oxalate content of foodanditseffect onhumans. Asia Pac.J. Clin.Nutr. 8(1): 64-74 (1999)

OnayemiO.NwigweNC. Effect of processing onthe oxalate content ofcocoyam.Lebensm.Wiss. Technol. 20(6): 293-295 (1987)

ParkHJ,Yoon KM,Lee SH,Jang GY,KimMY,LiM,LeeJS, Jeong HS. Effectsofextractiontemperature andtime on antioxidant activitiesofRhusvernicifluaextract.J.KoreanSoc. FoodSci.Nutr. 42(11) 1776-1782 (2013)

Savage GP,Vanhanen L,MasonSM, RossAB. Effect ofcooking on thesoluble andinsoluble oxalate content of someNew Zealand foods.J. FoodCompost. Anal. 13(3): 201-206. (2000)

Shin JH, Choi DJ,Lee SJ, ChaJY,KimJG, SungNJ. Changesof physicochemical componentsandantioxidant activityofgarlic during its processing.J.Life Sci. 18(8): 1123-1131 (2008)

Shin JH, Choi DJ,Lee SJ, ChaJY, SungNJ. Antioxidant activityof blackgarlic(AlliumsativumL).J.KoreanSoc. FoodSci.Nutr. 37(8): 933-940 (2008)

Shin MH. Comparisionof phytochemical contentandantioxi

dant activityinP etasites japonicusandColocasia esculent aL.schott depending oncooking methods.Master thesis. Chung Buk University. Cheongju.KOR. (2015)

Singleton VL, RossiJA. Colorimetryoftotalphenolics with phosphomolybdic-phosphotungstic acidreagents. Am.J. Enol.Vitic. 6(3): 144-158 (1965)

Song CH, SeoYC, ChoiWY,Lee CG,Kim DU, ChumgJY, Chung HC, ParkDS,Ma CH,Lee HY. Enhancement ofanti oxidative activityofCodonopsislanceolataby stepwisesteam ingprocess. KoreaJ.Medicinal CropSci. 20(4): 238-244 (2012)

Song CH, SeoYC, ChoiWY,Lee CG,Kim DU, ChungJY, Chung HC, ParkDS,Ma CJ,Lee HY. Enhancement ofanti oxidative activityofCodonopsislanceolataby stepwisesteami ngprocess. Korean J.Medicinal CropSci. 20(4): 238-244 (2012)

UkpabiUJ, EjidohJI. Effect of deepoilfrying onthe oxalate content andthedegree ofitching ofcocoyams(Xanthosoma andColocasiaspp).InTechnical Paperpresentedat the 5th Annual Conferenceofthe Agricultural Societyof Nigeria. FederalUniversityof Technology,Owerri,Nigeria 3-6 (1989)

Urquiagal,LeightonF. Plantpolyphenolantiox idantsandoxidat ivestress. Biol. Res. 33(2): 55-64 (2000)

WooKS,KoJY,Kim HY,LeeYH,Jeong HS. Changesin quality characteristicsandchemical componentsof sweetpotatoes cultivatedusingdifferent methods.Korean J. FoodSci. Technol. 45(3): 305-311 (2013)

Yang SJ,WooKS,YooJS,Kang TS,NohYH,LeeJ,Jeong HS. Change of Koreanginseng components with high temperature and pressure treatment.Korean J. FoodSci. Technol. 38(4): 521-525(2006)